Young Alice

Données de catalogage avant publication (Canada)

Claveau, Bernard, 1952-

   Young Alice

   ISBN 2-89077-205-5

   I. Titre.

PS8555.L385Y58 2000   C843'.6   C00-941369-3
PS9555.L385Y58 2000
PQ3919.2.C52Y58 2000

L'œuvre intitulée *Portrait d'Eugénie Verhaeren*
reproduite en page couverture est de Khnopff.

Graphisme de la page couverture : Création Melançon
Photo de l'auteur : Nancy Lessard

ISBN 2-89077-205-5
Dépôt légal : 3ᵉ trimestre 2000

Imprimé au Canada

Bernard Claveau

Young Alice

roman

Flammarion
 Québec

1

Un soir de fin d'avril 1963, un vieil employé à l'entretien du collège Duffin de Londres, David O'Connor, fit à son insu une étonnante découverte. Sur l'une des premières pages d'un livre d'occasion qu'il s'était procuré un peu plus tôt — *Young Alice* de Lewis Nunn — monsieur O'Connor remarqua la présence de fins sillons curvilignes, lesquels avaient été indubitablement creusés par la pointe d'une plume. Comme le recto de la page précédente était exempt de toute marque d'écriture, quelqu'un manifestement s'était servi du livre ouvert à la page de faux titre comme d'un support rigide pour écrire.

Le concierge essaya de déchiffrer quelques-unes des traces, mais l'exercice n'était pas aisé. Étant donné la relative instabilité de ce support provisoire, la pression exercée sur la plume avait été inégale et les empreintes laissées sur le papier étaient souvent discontinues. Au bout d'un moment, monsieur O'Connor, fidèle en cela à sa nature, appela sa femme à l'aide.

La dame n'avait guère meilleure vue que son mari, mais elle eut une idée toute simple pour éviter de s'arracher les yeux. Elle passa délicatement une mine de plomb tendre sur les sillons pour mieux en faire ressortir les contours. Ce qui alors apparut fut ceci :

« .h… .e…da,

    Qu'e… ce qu… se cac.. … le b…? … ou … encore Une
er.. his.. … use …e but…. pas q.. elle …m'e vou…p..r ..û…
    E.. . fois, elle …lus… v… q.. …ture ?

            .h…es. ..tw…. …nste.. »

L'intérêt de monsieur O'Connor retomba comme un soufflé à cette lecture. Malgré l'astuce de sa femme, le nom de la personne à qui le mot était adressé, la teneur de celui-ci et le nom du signataire restaient un mystère.

Ce soir-là, monsieur O'Connor ne pensa plus à ces drôles d'empreintes.

Le lendemain, en milieu de matinée, il faisait état de son bouquin devant une jeune élève du collège quand il reçut la visite inattendue de Peter Thornhill, le nouveau directeur de l'institution. Accompagné de son adjoint Andrew Woodford, monsieur Thornhill faisait la tournée des employés, histoire de leur serrer la main et d'échanger quelques mots.

Au cours de cet échange de civilités, le livre du concierge tomba sous son regard. Le directeur connaissait et admirait le célèbre conte de Nunn, mais disait voir pour la première fois une telle édition.

— Il s'agit, l'informa avec fierté monsieur O'Connor, d'une édition à tirage limité.

En l'ouvrant pour l'examiner, le directeur trouva pour le moins énigmatiques ces traces d'écriture rehaussées à la mine de plomb sur la page de faux titre et demanda de quoi il s'agissait. Tout en prêtant l'oreille aux explications de l'employé, il portait son attention sur les empreintes et tout particulièrement sur celles composant la signature. Peter Thornhill ne savait trop pourquoi, mais ces lettres décousues : « .h…es. ..tw…. …nste.. » lui rappelaient vaguement le nom d'une personnalité.

Un peu plus tard, comme il conversait avec un autre employé, la chose le frappa. Il demanda à Andrew Woodford de noter dans son calepin la pénurie de jambières de rugby et de battes de cricket dont le préposé à l'équipement sportif venait de lui faire part et, prenant congé de celui-ci, il revint au local du concierge.

— Monsieur O'Connor, demanda le directeur, me prêteriez-vous votre exemplaire de *Young Alice*? J'aimerais vérifier quelque chose.

— Bien sûr, répondit l'autre, après avoir manifesté une certaine surprise à le voir revenir.

— Je vous remercie. Et excusez-moi, mademoiselle, fit-il à l'adresse de la jeune fille qui feuilletait alors le bouquin.

Le directeur et son adjoint poursuivirent, comme prévu, leur tournée jusqu'à onze heures, puis retournèrent au quatrième étage, là où étaient situés leurs bureaux.

— Quelle est au juste cette vérification, monsieur, si je peux me permettre ? s'enquit Andrew Woodford, en indiquant du regard l'exemplaire que son supérieur avait gardé sagement sous son bras depuis une heure, comme un ecclésiastique l'aurait fait d'un bréviaire.

— Venez, répondit simplement Peter Thornhill, en lui faisant signe de l'accompagner dans son bureau.

Il se dirigea vers les étagères qui longeaient tout le mur nord et se mit à consulter les rayonnages.

— Je suis peut-être dans l'erreur, remarqua-t-il, en tirant un volume de l'encyclopédie *Britannica* et se mettant à tourner des pages, mais j'en aurai le cœur net... Ah, voilà !

Pendant un moment, le directeur se tut et Andrew Woodford, qui s'était avancé au milieu de la pièce, le vit, tout concentré, promener son regard de la page de faux titre sur laquelle les traces avaient été décelées à la page de l'encyclopédie sur laquelle il s'était arrêté.

— Venez voir, fit-il à la fin.

L'adjoint le rejoignit derrière le bureau.

— Dites-moi s'il s'agit de la même signature, d'après vous.

L'index de la main droite du directeur montra d'abord les lettres *.h...es. ..tw.... ...nste..,* dont madame O'Connor avait fait ressortir les contours ; puis, l'index gauche, la signature reproduite dans l'article de *Britannica,* laquelle se lisait : « Charles Lutwidge Feinstein ».

— Il s'agit en effet de la même, monsieur, décréta Woodford après avoir examiné l'une et l'autre attentivement.

Non seulement les lettres éparses s'imbriquaient-elles parfaitement, tels des morceaux de puzzle, à l'intérieur du nom identifié, mais encore leur forme — penchée, fine et étalée — était semblable.

9

— Hum, qui est ce Feinstein ?

Le directeur fixa son subalterne avec un certain étonnement, ne pouvant croire qu'il ne connaissait pas le nom véritable de l'auteur d'un des ouvrages les plus connus et les plus célèbres de la littérature anglaise. À la vérité, la majorité des lecteurs de *Young Alice* ignoraient tout autant ce fait.

— Je veux bien reconnaître, Woodford, que vous êtes diplômé en administration et non en lettres, fit-il avec un sourire indulgent, mais ce n'est pas une excuse. Charles Feinstein est l'auteur de ce chef-d'œuvre. Charles Feinstein est Lewis Nunn, lequel est un simple nom de plume.

— Oh...

Un peu pour couvrir son embarras, l'adjoint s'empressa de demander :

— Le livre lui a appartenu ?

Son patron eut un haussement d'épaules.

— À tout le moins, il l'a eu en sa possession, répondit Peter Thornhill, en commençant, tel qu'il avait voulu le faire plus tôt, à l'examiner de plus près.

Il s'agissait d'une édition de belle facture dont les coins avaient été renforcés par un supplément de peau plus foncé que le reste de la couvrure. Le dos était orné de nerfs striés qu'on aurait dit exécutés à la main et présentait, sobrement engravé au-dessus du nerf supérieur, juste sous la coiffe, le chiffre romain *I*. Le directeur comprit à quoi ce chiffre se rapportait quand il prit connaissance de la mention suivante au bas d'une page de garde : « Cet ouvrage, sur vélin pur chiffon, a été tiré en dix exemplaires, numérotés de I à X ».

— Monsieur O'Connor, notre concierge, n'a pas exagéré en parlant d'un tirage limité. Il y a eu seulement dix exemplaires de cette édition. Et celui-ci en est le premier.

La singularité du livre expliquait peut-être, conjectura-t-il, la manière dont il avait pu se retrouver entre les mains de Charles Feinstein : la maison d'édition lui avait fait parvenir l'exemplaire, jugeant sans doute que le premier numéro devait, *de facto,* revenir à l'auteur.

Là-dessus, le directeur se mit à feuilleter les premières puis les dernières pages du bouquin.

— C'est étrange, dit-il, après un moment.

— Quoi, monsieur ?

— Il n'y a aucune identification de maison d'édition.

Le directeur afficha une moue incrédule, puis reporta son attention sur les traces d'écriture que monsieur O'Connor, la veille au soir, s'était désintéressé de déchiffrer. Peu après, il secouait la tête. Il donnait sa langue au chat, disait-il. Il ne voyait pas ce que l'auteur avait bien pu écrire.

— Et vous, Woodford ?

Il tendit le bouquin à son adjoint. Le jeune homme, revenu devant le bureau, secoua aussi la tête au bout d'un moment.

— Je ne vois pas non plus. Bien que...

Il marqua un temps d'hésitation, puis :

— Si je comprends bien, Lewis Nunn se serait servi de ce livre ouvert comme d'un appui pour écrire ?

— C'est ce qu'on peut raisonnablement déduire.

— Alors cette feuille de papier qu'il a appuyée sur la page de faux titre et sur laquelle il a écrit ce mot, cette courte lettre à on ne sait qui, elle doit bien exister quelque part. Je veux dire, il y a fort à parier, compte tenu de la notoriété de son auteur, qu'elle a déjà été recensée, cataloguée et publiée. Plutôt que d'essayer de déchiffrer l'indéchiffrable, il serait peut-être plus simple pour en connaître le contenu et le destinataire de repérer parmi sa correspondance éditée la lettre qui contient, dans cet ordre, ces caractères épars ?

Peter Thornhill hocha la tête en signe d'assentiment.

Sur l'heure du midi, avant d'aller rapporter son livre à monsieur O'Connor, le directeur s'arrêta au comptoir du service de prêt de la bibliothèque du collège. Plus tôt, Frederic Sheldon, le bibliothécaire en chef, lui avait confirmé au téléphone la supposition de Woodford. Les lettres de Charles Feinstein avaient été, de fait, publiées. Il s'agissait d'un ouvrage relativement récent, présentant, outre les lettres du grand homme, des extraits de son journal. Un exemplaire de la publication, après vérification, était d'ailleurs sur les rayons.

Peter Thornhill l'avait fait retenir.

— J'étais curieux de savoir, monsieur Sheldon, fit-il, tout en prenant l'exemplaire de *Lettres et Pages de journal de Lewis Nunn* que le bibliothécaire lui tendait. La chose aurait continué à me préoccuper, vous comprenez? Ainsi, je n'y penserai plus.

Tout ce qui lui paraissait nouveau, intéressant, rare ou caché, monsieur Thornhill ne pouvait s'empêcher de le rechercher avec un soin actif.

— Et la voici, ajouta-t-il, en lui tendant le vieil exemplaire de *Young Alice*.

Au téléphone, il lui avait dit qu'il avait une édition rare du célèbre conte à lui montrer. Habitué à compulser à longueur de jour des livres, le bibliothécaire en avait sûrement vu d'autres, reconnaissait-il, mais celle-ci sortait franchement de l'ordinaire.

Les caractéristiques esthétiques de cette édition ne laissèrent pas indifférent, en effet, Frederic Sheldon. Il n'avait pas à proprement parler l'âme d'un collectionneur, mais il était à même d'apprécier l'art avec lequel le livre avait été fabriqué. Cela dit, il se mit à l'examiner de la manière que son métier lui avait appris à le faire, c'est-à-dire à relever les éléments essentiels à la rédaction d'une notice bibliographique. Il ne tarda pas à faire écho à l'étonnement de son supérieur devant l'absence de maison d'édition.

— C'est assurément étrange, monsieur...

Puis, continuant son examen, un autre élément le fit réagir. Il leva la tête vers le directeur, occupé déjà à repérer dans *Lettres et Pages de journal de Lewis Nunn* une missive s'apparentant à celle dont il ne subsistait que des traces partielles. Comme aucune date n'avait pu être déchiffrée parmi celles-ci, Peter Thornhill examinait une à une les lettres, lesquelles étaient présentées dans l'ordre chronologique.

— Je crains, monsieur, déclara le bibliothécaire, que vous ne trouviez pas là-dedans ce dont vous m'avez fait part.

Son interlocuteur interrompit sa consultation.

— Et pourquoi cela?

— Cette édition de *Young Alice*, voyez-vous, a été publiée en 1927...

Il lui indiqua du doigt l'année de publication. Elle apparaissait en petits caractères tout au bas du verso d'une des premières pages. Ce millésime, écrit en chiffres romains, se lisait : « MCMXXVII ».

— J'en déduis donc, continua le responsable de la bibliothèque, que ces traces d'écriture de Lewis Nunn ne peuvent être antérieures à cette année-là...

— Oui, alors?

— Sa correspondance se termine en novembre de l'année précédente, monsieur.

Le directeur eut une expression interloquée, puis alla à la fin de la partie de son livre consacrée aux lettres. La dernière missive de l'écrivain était datée, en effet, du 21 novembre 1926.

— Qu'est-ce que cela veut dire?

— Eh bien, à l'évidence, cette lettre est inédite, monsieur. Toutefois, il serait surprenant qu'elle soit reconnue comme telle.

Le bibliothécaire jeta de nouveau les yeux sur les sillons noircis de mine de plomb.

— Après tout, il ne s'agit pas ici d'une lettre, mais plutôt, si on me permet l'analogie, de l'ombre d'une lettre. Fort probablement, les chercheurs se refuseront, par déontologie professionnelle, à prendre cela en considération.

Là-dessus, remettant au directeur son exemplaire du conte, le bibliothécaire lui suggéra de chercher à l'index de *Lettres et Pages de journal de Lewis Nunn* le nom d'une personne dont la graphie pouvait correspondre aux lettres éparses déjà déchiffrées du destinataire de Charles Feinstein.

— À défaut de découvrir le contenu du message, peut-être pourrions-nous à tout le moins découvrir le nom de la personne à qui il était destiné. Je veux parler de cette... Heda.

Frédéric Sheldon avait joint ensemble les lettres connues de l'appel, lesquelles se lisaient : « .h... .e...da », et en avait formé un acronyme.

— Le *h* et le *e* peuvent ne pas faire partie intégrante du nom cependant, continua-t-il, considérant que l'appel peut débuter par le mot *Cher* ou *Chère*. Cela nous laisserait à tout le moins avec le *d* et le *a,* dans cet ordre et à la suite.

Le directeur consulta la liste alphabétique des noms et lieux cités, mais aucune entrée contenant l'agencement de cette consonne et de cette voyelle ne figurait à l'index.

Il soupira.

— J'aimerais tout de même emprunter ce livre, monsieur Sheldon.

— Bien sûr, monsieur.

Comme le bibliothécaire enregistrait le prêt, Peter Thornhill avait reporté son attention sur la page de faux titre du livre prêté par monsieur O'Connor. Puis, ramassant une petite fiche lignée sur le dessus du comptoir, il se mit à copier les empreintes d'écriture en respectant scrupuleusement les écarts entre les lettres.

— Espérez-vous toujours y trouver un sens ? s'enquit Frederic Sheldon, en le voyant faire.

Le directeur releva la tête.

— Qui sait ? dit-il. Plus tard, à temps perdu, il se peut que je me penche une fois encore sur celles-ci.

2

Un instant après, le directeur passait au local de monsieur O'Connor. Ce dernier terminait son repas.

— J'avais faim, s'excusa, la bouche pleine, le concierge.

Monsieur O'Connor, qui prenait son petit-déjeuner très tôt et était le premier arrivé au collège, mangeait toujours à la même heure. Et toujours du pain grillé, du saucisson et du concombre. Il fut remercié pour son prêt, puis informé que les traces fragmentaires de la signature étaient celles de Charles Feinstein. Il resta d'abord sans réagir devant cette révélation car il ignorait, à l'instar de Andrew Woodford, qui était Charles Feinstein. Puis, quand son patron lui spécifia qu'il s'agissait en réalité de Lewis Nunn, il en fut agréablement surpris.

Le directeur ne voulait pas abuser du temps de son employé pendant son heure de repas, mais s'attarda tout de même un peu, interrogeant celui-ci au sujet de cette édition si singulière de *Young Alice*. Monsieur O'Connor lui déclara l'avoir achetée chez Markheim & Russell, une bouquinerie du quartier Moonshield.

— C'était leur seul exemplaire cependant, j'ai le regret de le dire.

L'intérêt manifesté par son supérieur lui avait fait présumer, à tort, que celui-ci désirait s'en procurer aussi un exemplaire.

— C'est malheureux, ajouta-t-il, car c'était une aubaine, monsieur.

Là-dessus, il précisa le montant payé. Comme il s'agissait d'un livre rare, il y avait lieu de s'étonner de la modicité du prix.

— Il s'agit, expliqua-t-il avec un sourire de connivence, manifestement heureux d'en révéler la raison, d'une édition présentant un défaut de fabrication.

Il tourna la page couverture et montra l'imperfection en question. Il s'agissait d'un mauvais encollage du papier couleur. Celui-ci n'adhérait pas au comblage de carton, mais à la lisière de la couvrure. Cela donnait un aspect gondolé, peu esthétique.

Le directeur et le bibliothécaire avaient remarqué la chose, mais sans plus.

— Selon l'un des propriétaires, monsieur Russell, c'est probablement un livre qui fut récupéré avant d'être mis au pilon. Voilà pourquoi ils peuvent les vendre à prix fort avantageux. Ma femme, poursuivit-il, croit que nous ne pouvons l'offrir en cadeau d'anniversaire à notre petite Catherine. «Un livre non seulement d'occasion mais en outre endommagé!» maugrée-t-elle.

Il expliqua que Catherine était la fille de son fils; elle était beaucoup plus jeune que Clara, l'élève vue en sa compagnie plus tôt en matinée. Il avait apporté le livre au collège pour le lui montrer et connaître son avis.

— Il s'agit d'un beau cadeau d'anniversaire, m'a-t-elle dit.

Son heure de repas, Frederic Sheldon la passa à résoudre lui aussi une énigme. Le bibliothécaire n'était pas le genre de personne à rester longtemps sans trouver réponse aux questions reliées à son activité professionnelle; et l'étrangeté de ce vieil exemplaire de *Young Alice* était le sujet de son actuelle perplexité. L'absence d'une indication de maison d'édition aurait immédiatement suggéré le fait d'une édition pirate. C'était, en général, l'explication la plus probable. Mais, ici, le nom de l'imprimerie, Seltz, Brothers and Others, sur les presses de laquelle les exemplaires numérotés avaient été imprimés, était inscrit à la place habituelle, au dos de la dernière page, comme il l'avait fidèlement relevé.

Il était difficilement imaginable qu'une imprimerie se fût annoncée de façon si évidente dans le cas d'une opération clandestine et illicite. Alors, quelle en était donc la raison?

Il y avait une façon de la découvrir: chercher à se renseigner auprès de cette imprimerie. Comme il fallait s'y attendre, une telle entrée dans le bottin téléphonique était absente. Depuis 1927, Seltz, Brothers and Others avait eu le temps de fermer ses portes une dizaine de fois. Mais la bibliothèque du collège conservait les bottins téléphoniques des années précédentes et Frederic Sheldon les consulta par ordre chronologique descendant jusqu'à ce qu'il trouve une entrée au nom de celle-ci. La dernière fois que ce commerce avait pignon sur rue, sous ce nom à tout le moins, était en 1948. Comme l'adresse fournie dans le bottin se trouvait à dix minutes à pied du collège, le bibliothécaire résolut de faire son habituelle marche de santé dans cette direction.

L'édifice ayant abrité l'imprimerie était non seulement toujours là, mais le bibliothécaire put découvrir aisément qu'elle avait occupé le sous-sol de l'immeuble. La raison sociale peinte à l'origine sur la brique n'avait pu être complètement effacée, ni non plus la large flèche qui suivait et indiquait le sous-sol. Les lieux avaient été transformés en stationnement intérieur pour les employés de l'industrie du vêtement travaillant aux étages.

Arrivé au moment où ceux-ci terminaient de casser la croûte, Frederic Sheldon put s'entretenir avec certains d'entre eux. Un vieux tailleur se rappela très bien l'ancien commerce et reconnut même le nom d'un des relieurs, avec qui il avait l'habitude de converser.

De retour au collège, Frederic Sheldon n'eut à donner que trois coups de téléphone avant de tomber sur le bon James Gardiner.

— Inutile de me le décrire davantage, monsieur Sheldon, assura ce dernier au bout du fil. Je me rappelle parfaitement ces exemplaires numérotés. J'ai travaillé à l'époque avec monsieur Seltz, le frère aîné, à cette édition limitée et... très spéciale, si vous voulez mon avis.

Le relieur l'informa alors que Lewis Nunn avait lui-même commandé par écrit les exemplaires.

— Tiens donc ! s'exclama le bibliothécaire.

Là était l'explication, plutôt surprenante, à son énigme, comprit-il : l'absence d'indication de maison d'édition était due à l'initiative de l'auteur lui-même. Dans un but privé et non commercial, il était de son droit d'agir de la sorte.

— D'ailleurs, j'ai conservé les lettres de monsieur Feinstein à ce sujet, ajouta le relieur.

Monsieur Seltz, à qui les lettres avaient été adressées — il s'agissait de trois lettres —, n'avait pas voulu les conserver car deux d'entre elles étaient ironiques à son endroit. James Gardiner, un grand admirateur de *Young Alice*, les avait récupérées de la corbeille à papier.

Cet après-midi-là, Frederic Sheldon téléphona au directeur du collège. Il avait la réponse à l'une de ses suppositions. L'exemplaire dont le concierge était en possession, lui apprit-il, n'était pas le fait d'un envoi à titre gracieux à l'auteur, mais plutôt de l'envoi de l'ensemble des dix exemplaires numérotés à celui-ci. Sur ce, le bibliothécaire lui relata l'essentiel de sa conversation avec monsieur Gardiner.

— Vous avez eu raison de penser que je serais intéressé par cela, fit Peter Thornhill. Je vous remercie vivement pour cette information. ... Non, je n'ai pas trouvé, fit-il après un moment. Merci encore.

Le directeur raccrocha et tourna les yeux vers son adjoint, assis de l'autre côté de son bureau. Depuis les trente dernières minutes, ils étaient en réunion de travail.

— C'était monsieur Sheldon, dit-il. Il a découvert que Charles Feinstein a lui-même commandé les exemplaires numérotés de *Young Alice*... dont monsieur O'Connor avait le numéro I. Étonnant, n'est-ce pas?

Là-dessus, il porta son regard sur la petite fiche reposant sur le dessus de son bureau et sur laquelle il avait retranscrit les empreintes d'écriture de la page de faux titre. Durant son heure de repas, il avait de nouveau essayé d'en déchiffrer le contenu, mais en vain. Il la prit en main.

— Vous vous rappelez ceci? demanda-t-il, en l'exhibant.

— Oui. Avez-vous pu compléter les lettres manquantes?

— Eh bien! non. Et, autant vous dire, j'ai renoncé à vouloir déchiffrer, comme vous avez si bien dit, l'indéchiffrable. (Tout en disant cela, il avait tenu la fiche d'abord à l'endroit, puis délibérément à l'envers comme pour indiquer que cela était indifférent à la compréhension.) À moins de retrouver la lettre originale, je doute fort qu'on puisse jamais comprendre. Toutefois, je suis enclin à penser qu'il pourrait s'agir de quelque chose d'important.

— Pour quelle raison, monsieur?

Il avait lu à deux reprises, expliqua-t-il, cette dernière lettre — connue, s'entend — de Feinstein, celle du 21 novembre 1926. Il s'agissait d'une courte lettre à une agence immobilière l'enjoignant de prendre en charge la vente de son appartement du West Side. Par la suite, l'auteur avait coupé tout contact avec le monde extérieur. Il s'était isolé dans sa maison de campagne et n'avait plus supporté à ses côtés, jusqu'à sa mort survenue fin juin 1927, que son vieux et fidèle serviteur.

— Qu'est-ce qui aurait pu le motiver à briser son isolement, à rédiger cette lettre, ce mot, dont il ne subsiste que des traces et qu'il n'a pu écrire que cette année-là, sinon une chose d'importance? En outre, elle a probablement été composée dans les jours précédant sa mort. Il était le plus souvent alité les derniers temps de sa vie, ai-je appris, et quoi de mieux qu'un livre comme support rigide pour écrire quand on est dans un lit? Cela conférerait à cette lettre un caractère solennel, voire testamentaire...

Devant le silence de Woodford, qui ne désirait manifestement pas commenter de telles conjectures, le directeur reporta presque machinalement les yeux sur la fiche lignée et eut soudain un trait d'esprit :

— Je me demande si... commença-t-il à dire à haute voix, comme malgré lui, tout en la reprenant en main.

— Si quoi, monsieur?

Il hocha négativement la tête, comme quelqu'un n'osant s'avancer de peur de dire une énormité.

— Je dois d'abord vérifier une chose. Mais je peux vous tenir au courant si vous le désirez, Woodford.

— Oui. Je le souhaiterais, monsieur.

3

La chose à vérifier concernait les lettres de Charles Feinstein à l'imprimeur et, plus précisément, la formulation exacte de sa commande. Par ailleurs, Peter Thornhill avait jugé approprié de faire cette vérification en personne, de visu.

Ce même jour donc, à la fin de sa journée de travail, il se rendit dans le East Side rencontrer James Gardiner. Monsieur Gardiner, soixante-dix-sept ans et se tenant encore droit comme un piquet, le reçut dans son modeste logement du quartier de Dresdner. Le vieil homme avait été apprenti-relieur, puis relieur chez Seltz, Brothers and Others de 1915 à 1948, année de la mort du dernier des frères Seltz et de la fermeture de l'imprimerie. Par la suite, il avait travaillé huit autres années chez un ancien concurrent de ses ex-employeurs et pris sa retraite au moment où l'avancée technologique commençait à chambarder les arts du livre tels qu'il les connaissait.

Il avait accepté de rencontrer le directeur du collège Duffin avec diligence et d'autant plus de plaisir qu'il recevait peu et aimait la compagnie. Après avoir offert une eau minérale à son visiteur, il tira d'une petite boîte métallique, tapissée à l'intérieur de velours bleu, trois feuilles de papier un peu jaunies.

Il lui tendit celle sur le dessus, qui était, disait-il, la première missive que Feinstein avait fait parvenir.

— Combien de personnes en ont pris connaissance ? s'enquit Peter Thornhill, un peu ému tout de même de tenir entre ses doigts la lettre d'une célébrité du monde littéraire.

— À part le défunt monsieur Seltz et moi-même, personne d'autre.

La lettre, datée du 8 mars 1927, demandait à l'imprimeur de fabriquer une édition spéciale de *Young Alice* et fournissait certaines spécifications, dont l'une était pour le moins singulière. Elle se lisait comme suit : «... que le contreplat du plat recto ne soit pas encollé au comblage de carton ou au rempli peau».

Le directeur relut ce passage à haute voix d'un air ravi.

— La feuille de papier qui vient cacher le comblage de carton et recouvrir partiellement la lisière de peau de la couvrure, sentit le besoin d'expliquer l'ancien relieur, Feinstein n'avait pas voulu qu'elle soit collée, telle qu'elle l'est toujours, à ce carton ou à cette bordure de cuir.

Peter Thornhill hocha la tête d'entendement, en continuant à sourire de contentement. Cette particularité de la commande était la confirmation qu'il recherchait.

— Il ne s'agissait donc pas d'un défaut de fabrication ? remarqua-t-il, après l'avoir informé de l'aspect gondolé, peu esthétique de la couverture de l'exemplaire de monsieur O'Connor.

— Nous n'avons fait que suivre les spécifications du client, répondit l'autre.

— Et les deux autres lettres ? fut-il curieux de s'enquérir.

Monsieur Gardiner, en les lui remettant, en éclaira le contexte : monsieur Seltz avait fait parvenir à son correspondant, disait-il, un choix de reliures accompagné de la liste des prix pour chacune. Il lui indiquait aussi que toute édition devait compter au minimum dix exemplaires.

— Monsieur Feinstein, comme vous avez pu le constater dans la première missive, n'en désirait qu'un seul et cette politique de la maison ne fut pas sans l'agacer quelque peu. Jugez-en par vous-même.

Dans la deuxième lettre, datée du 15 du même mois, cette norme administrative était ridiculisée : elle avait dû être décrétée, était-il écrit, pour profiter de l'aisance financière de certains clients et leur faire payer dix fois le prix normalement exigé.

— Malgré tout, malgré sa diatribe, il a tout de même accepté les conditions de votre ex-employeur ?

— De fait, il avait joint un mandat-poste pour le montant équivalant au nombre minimal d'exemplaires.

— Quel était l'objet de la dernière lettre ? fit Peter Thornhill, en y portant les yeux.

— Une petite vengeance, pourrait-on dire, commenta le vieil homme avec un sourire amusé. Nous lui fîmes parvenir les dix exemplaires tels que demandés, c'est-à-dire avec la couverture non encollée, mais il nous les retourna tous sauf un, au début mai, en nous reprochant de lui avoir fourni des livres imparfaits ! Je le soupçonne de l'avoir fait pour le malin plaisir de nous prendre en défaut. Monsieur Seltz n'avait pas cru d'emblée que la particularité de confection s'appliquait nécessairement à l'ensemble des exemplaires mais, refroidi par sa lettre précédente, il n'avait osé s'en assurer auprès de lui.

Le retraité marqua une brève pause, puis poursuivit :

— Nous encollâmes donc cette feuille de papier dont je viens de vous parler pour les numéros retournés, puis nous les lui expédiâmes de nouveau.

— C'est l'exemplaire I qu'il conserva tel quel ?

James Gardiner fit oui, en ajoutant que c'était un seul livre imparfait qui l'intéressait, après tout.

— Hum, cette feuille de papier accolée au comblage de carton, elle est bariolée, n'est-ce pas ?

— Sur son côté visible, oui. On l'appelle d'ailleurs, dans le métier, le papier couleur. À l'époque, tous les livres à couverture rigide avaient des pages de garde faites avec ce type de papier. C'était très décoratif. Aujourd'hui, par souci d'économie, on utilise le plus souvent du papier blanc, excepté peut-être pour certains livres de luxe.

— L'abandon de cette manière de faire est regrettable, commenta Peter Thornhill. Cela rehaussait beaucoup l'esthétique d'un livre.

La moue légèrement désapprobatrice et amère avec laquelle James Gardiner avait mentionné le fait que la reliure industrielle n'employait presque plus ce papier bariolé (à ne pas douter, un exemple parmi d'autres de considérations économiques appliquées au détriment de la reliure de qualité) n'avait pas échappé à Peter Thornhill et la remarque du directeur s'adressait non à un ex-employé d'imprimerie mais au vieil artisan qu'il venait de reconnaître.

— Par ailleurs, il s'agit d'un papier très opaque, enchaîna-t-il.

— Oui, en effet.

Le directeur marqua un temps tout en fixant le retraité, puis demanda :

— Vous vous êtes déjà sûrement demandé ce qu'il pouvait bien faire d'un livre à la reliure inachevée, non ?

— Si... un peu tout de même.

Quasi insidieusement, en faisant à l'aide de ses mains le geste d'insérer une chose à l'intérieur d'une autre, Peter Thornhill poursuivit :

— Comme, par exemple, vouloir dissimuler quelque chose entre le comblage de carton et ce... contreplat ? (James Gardiner indiqua d'un signe qu'il avait employé le terme juste.) De sorte que l'opacité de la feuille bariolée l'aurait rendu indiscernable à l'œil nu ?

— Cela m'a en effet effleuré l'esprit, admit l'ancien relieur. L'objet en question, il va de soi, bien que rendu invisible par le papier couleur, devrait être fort mince. Autrement, sa forme serait apparente.

— Une simple feuille de papier ?

— Ou peut-être deux, mais pas plus.

Ce fut au tour du retraité de fixer curieusement son interlocuteur.

— Mais... vous-même, fit-il, vous qui ignoriez la particularité de cette commande, comment avez-vous pu soupçonner une telle chose ?

Le directeur sortit de la poche de son veston la fiche sur laquelle il avait retranscrit les empreintes d'écriture :

« .h... .e...da,

Qu'e... ce qu... se cac.. ... le b...? ... ou ... encore Une er.. his.. ... use ...e but.... pas q.. elle ...m'e vou...p..r ..û...
E.. . fois, elle ...lus... v... q.. ...ture ?

.h...es. ..tw.... ...nste.. »

24

Il la lui tendit.

— Qu'est-ce que c'est? demanda le retraité.

— Un court texte que Charles Feinstein a très vraisemblablement joint à l'exemplaire. Je ne pourrais vous dire sa teneur exacte, cependant. Et cela importe peu parce que cette demande particulière de ne pas achever la couverture m'a confirmé qu'il s'agit, nul doute, d'une de ces devinettes qu'il trouva un malin plaisir sa vie durant à poser.

L'article de l'encyclopédie *Britannica* lui avait rappelé cette marotte chez l'auteur, laquelle provenait, affirmait-on, de son habitude, étant mathématicien de formation, de poser des problèmes et de chercher à les résoudre. Par ailleurs, quiconque dont les connaissances sur Feinstein se limitaient à proprement parler, comme des millions d'autres personnes de par le monde, à la seule lecture de *Young Alice* aurait pu facilement déduire ce trait chez lui. Plusieurs des personnages du célèbre conte se lançaient fréquemment à la tête, par dérision du système d'éducation de l'époque qu'il dépeignait, les plus abracadabrantes questions, énigmes et charades qu'on pût imaginer.

— Une devinette?

— Oui, voyez: les première et dernière phrases se terminent par un point d'interrogation; et il y a tout lieu de croire que, si l'ensemble des signes avait été révélé, on aurait constaté une ou deux autres phrases écrites également sous la forme interrogative. En somme, des questions dont il fallait trouver la réponse.

Sur ce, le directeur avoua très candidement:

— Je n'aurais pu le soupçonner, n'eût été aussi l'état particulier de la couverture, lequel m'a fait supposer que ce n'était pas là le résultat d'un défaut de fabrication mais plutôt d'une demande expresse de l'auteur de ne pas encoller le papier couleur.

— Une devinette dont la solution conduisait à éventrer la couverture?

— Oui. Et il est possible d'en acquérir la certitude.

Là-dessus, Peter Thornhill se leva.

— Puis-je utiliser votre téléphone, monsieur Gardiner?

Un instant plus tard, il formait un numéro.

— Monsieur O'Connor? fit-il dans l'appareil. C'est Peter Thornhill...

Il avait pris soin, avant de faire cette visite, de demander à sa secrétaire de lui fournir le numéro de téléphone personnel de monsieur O'Connor. Si son intuition se confirmait, il n'y aurait alors pas de temps à perdre, avait-il estimé.

Il s'entretint un bref instant avec le concierge, puis raccrocha.

— Je ne saurais trop vous remercier, monsieur Gardiner, dit-il, comme il s'apprêtait à quitter son hôte, de m'avoir si obligeamment accueilli chez vous.

— Tout le plaisir fut pour moi.

— Par ailleurs, ces lettres que vous avez eu l'amabilité de me montrer, accepteriez-vous qu'elles puissent être éventuellement examinées par certains spécialistes?

Le retraité marqua un temps.

— Examinées par des spécialistes? s'étonna-t-il.

— Oui. Si j'ai raison, si cet objet, ce document dissimulé par Charles Feinstein se révèle une découverte d'importance, il faudra nécessairement réunir toutes les preuves circonstancielles. Ils voudront aussi les voir, pas de doute. D'autant qu'il s'agit vraisemblablement des dernières lettres écrites par le célèbre auteur.

L'espace d'un instant, un observateur très attentif — du moins, plus attentif que Peter Thornhill — aurait pu voir passer dans le regard de James Gardiner une petite alarme, un bref mouvement latéral des yeux, comme s'ils avaient cherché à fuir leur orbite.

Mais le vieux monsieur avait vite retrouvé sa contenance et son air bonhomme.

— Hum, je comprends votre point de vue, fit-il. Bien sûr, elles pourront être examinées. Encore que...

Il se leva.

— Attendez, je reviens.

Il sortit de la pièce et, un instant plus tard, réapparaissait devant son visiteur, une large enveloppe brune à la main. Il la lui tendit.

— Tenez.

Le directeur souleva le rabat et découvrit des reproductions photographiques des lettres.

— Je les ai moi-même tirées à l'époque, l'informa-t-il. Vous pouvez les garder.

C'est un monsieur O'Connor tout endimanché et au visage un peu fermé qui vint ouvrir à son patron, un peu plus tard. Manifestement, le concierge ne se sentait guère à l'aise de recevoir chez lui le directeur de son collège et la familiarité qui avait caractérisé leur premier entretien à leur lieu de travail avait complètement disparu. Peter Thornhill s'empressa de s'excuser de cette visite impromptue, mais interrompit brusquement ses excuses en voyant monsieur O'Connor gesticuler vers une dame d'un certain âge et une jeune personne, elles aussi vêtues pour une sortie, sagement assises dans la pièce voisine. Sans le laisser voir, elles avaient été, vraisemblablement, en attente de sa venue.

Un peu maladroitement, le concierge fit les présentations. La dame d'un certain âge était sa femme et la jeune personne, à la surprise du visiteur, était cette même élève dont il avait brièvement fait la connaissance l'avant-veille au collège. Perdant un peu de sa réserve en parlant d'elle, le concierge expliqua que Clara était la fille de leurs anciens voisins de palier. Elle avait vu grandir leur petite-fille Catherine durant les années où, à la suite du divorce de leur fils, ils eurent à charge de l'élever. Posant affectueusement la main sur l'épaule de la jeune fille, le concierge ajouta qu'elle avait un peu agi auprès de Catherine comme une grande sœur.

Le directeur, qui écoutait ses propos avec un sourire de circonstance, constata à un moment que le regard de madame O'Connor s'était porté sur le sac de papier qu'il avait à la main, lequel affichait sur le devant, fort visiblement, le logo de la librairie Ackernberry. Par l'ouverture, on pouvait apercevoir un coin de l'emballage-cadeau qu'il avait fait faire. De toutes les preuves circonstancielles, la plus importante était l'exemplaire lui-même, considérait-il, le contenant et le contenu étant par trop étroitement liés. Cela entendu, il s'agissait de savoir si son employé avait décidé, après tout, d'offrir à sa petite-fille l'exemplaire comme présent d'anniversaire. Et, dans cette éventualité, il avait fait l'achat en cours de route d'un autre exemplaire de *Young Alice* — dans une édition commune, mais de qualité — et l'avait fait emballer.

Instinctivement, il soutira le sac à la vue de la dame, à la suite de quoi leurs yeux se croisèrent et, l'espace d'un instant, il eut le vague sentiment qu'elle venait de tout comprendre malgré qu'il n'eût encore rien dévoilé de son intention au concierge. Au téléphone, il s'était contenté de lui dire qu'il devait le voir pour une chose importante et urgente.

Cette intention, il lui en fit part sitôt que sa femme et la jeune ex-voisine se furent retirées dans la cuisine. David O'Connor se montra hésitant à se prêter à l'échange. Il avait finalement persuadé sa femme d'accepter que le vieux livre endommagé soit, après tout, offert à Catherine. Cet effort de persuasion, mené sur un ton faussement grave, était venu à bout de l'opiniâtreté de son épouse. Celle-ci en vint même à trouver au bouquin décrié des qualités esthétiques certaines. Cet aveu avait surpris et réjoui son mari et l'emballage s'était fait dans la bonne humeur.

— Je tiens à vous assurer que tout avantage éventuel tiré de l'exemplaire vous reviendra de plein droit. J'entends, dès demain, faire établir un papier en bonne et due forme en ce sens.

Peter Thornhill venait à peine de prononcer ces mots que déjà il les regrettait. Le concierge, qui évitait son regard, baissa encore plus les yeux et le directeur comprit soudain l'avoir vexé, interprétant erronément son hésitation comme de la supputation intéressée. Il voulut se reprendre, mais n'en fit rien, réalisant qu'il ne pouvait renoncer, par scrupule de le contrarier, à examiner l'intérieur de la couverture.

Le concierge marqua un autre temps puis, sans mot dire, il procéda à l'échange.

C'est seulement une fois chez lui que Peter Thornhill déchira l'emballage du nouveau paquet qu'il avait ramené et qu'il avait à peine osé regarder durant le trajet en voiture. Cet échange d'exemplaires chez monsieur O'Connor lui avait coûté et il soupira en faisant une moue exprimant son malaise d'avoir quelque peu forcé la main au vieil employé.

En ce moment, assis dans son living-room, le livre posé sur la table basse, il souhaitait ardemment avoir eu raison.

Là-dessus, il ouvrit le bouquin, inspira profondément, puis se mit à faire céder, le regard plein d'expectative, les points du contreplat encore aggluting à la lisière du maroquin. En un rien de temps, il acheva le décollement pour découvrir à l'intérieur de la couverture... rien du tout, si ce n'est le comblage de carton.

Puis, quand il souleva encore davantage le papier couleur, quelque chose s'offrit soudain à sa vue.

4

Le lendemain, arrivé au collège, son premier réflexe fut de s'arrêter devant le bureau de son adjoint. Sur la porte entrouverte, il frappa trois coups secs destinés à tirer Woodford de sa paperasse.

— Venez un instant, j'ai quelque chose à vous montrer, annonça-t-il.

Il lui tendit la même fiche que la veille, puis se débarrassa, comme toujours, de son veston. Il le fit pendre à la patère. Dans l'intimité de son bureau, il ne le supportait pas et travaillait toujours en manches de chemise, la cravate dénouée et le col ouvert.

— Ne m'aviez-vous pas exprimé le désir d'être mis au courant ?

— Si, si, répondit l'autre, qui avait complètement oublié cette histoire.

Il concentra son attention sur le carton, mais ne réussit qu'à afficher un regard vide.

— Réglons sans tarder ceci, dit le directeur, en lui arrachant la fiche des mains pour la mettre négligemment de côté. Cela n'a aucune véritable importance. Voyez-vous, il s'agit simplement d'une devinette dont la solution exhortait à déchirer la couverture du livre.

— La déchirer ?

— Oui.

Là-dessus, le directeur ouvrit sa serviette et en tira l'exemplaire numéroté. Il le posa sur le dessus de son bureau et l'ouvrit à la page couleur.

— Approchez-vous. Vous allez comprendre pourquoi.

Pendant un instant, Andrew Woodford n'eut aucune réaction devant ce que son patron lui indiquait du doigt. Ces lignes d'écriture plus ou moins contrastées, apparaissant au verso du contreplat, le médusaient : elles se présentaient dans le mauvais sens, c'est-à-dire de droite à gauche.

Spontanément et assez candidement, il fit part de son incompréhension :

— Il y a eu absorption d'encre, dit Peter Thornhill. Que je vous montre...

Il tira une feuille de papier d'un tiroir et jeta dessus quelques mots en les disposant sensiblement de la même manière que ceux découverts la veille au soir.

— La feuille fut insérée à l'intérieur de la couverture comme ceci, illustra-t-il, en la posant, face en dessus, sur le comblage de carton. Puis, on rabattit le papier couleur (il fit montre de le faire) et on procéda au collage... J'ignore le temps qu'elle est restée ainsi dissimulée avant qu'on l'en retire mais toujours est-il que le verso du contreplat a eu le temps d'absorber une partie de son encre et de reproduire, en sens inverse, son contenu.

— Ah...

— L'encre n'était sans doute pas tout à fait sèche lorsque le document fut inséré à l'intérieur du cartonnage. Et puis, l'absorption a dû être favorisée par la pression exercée sur le papier couleur à l'occasion du collage. Qu'en pensez-vous ?

Lentement, Andrew Woodford commença à approuver d'un signe, pour ensuite suggérer une autre hypothèse dans le cas où on aurait procédé sans précipitation : le transfert d'encre pourrait alors s'expliquer par le fait que le livre aurait été exposé, avant le retrait du document, à un taux d'humidité ambiante anormalement élevé.

— Encore, oui, admit volontiers Peter Thornhill. Mais, à la vérité, modula-t-il aussitôt avec un haussement d'épaules, peu m'importe.

Peu lui importait la raison, en effet. La vue de ces simples empreintes, après le dépit qu'il avait ressenti en constatant que l'intérieur de la couverture était vide, le comblait presque maintenant. Ce n'était pas là la plus tangible des preuves, mais c'en était tout de même une, irréfutable, qu'il n'avait pas erré en supposant l'usage particulier qui avait été fait de l'exemplaire numéroté de monsieur

O'Connor. En outre, nota le directeur qui se considérait chanceux dans sa malchance, le dos du contreplat avait calqué intégralement la teneur de l'original disparu, lequel était, avait-il réalisé, un court mot accompagné d'un post-scriptum. (Même inversées, les deux lettres majuscules suivies chacune d'un point, placées au début de l'avant-dernière ligne, étaient facilement reconnaissables. Il s'agissait de « P.-S. ».)

— Prenez la peine de vous asseoir, Woodford ; le temps que je vous montre, en grosses lettres, ce que ces empreintes d'écriture révèlent une fois lues à l'endroit.

Dans son large bureau se trouvait ce tableau noir amovible, dont le cadre et le support étaient de bois. Il appartenait à son prédécesseur, un ancien professeur qui avait gardé l'habitude de s'en servir pour définir et présenter ses idées. Il le fit légèrement pivoter pour le mettre face à Woodford et commença à reproduire le texte de sa découverte. Il la copiait de la feuille qu'il avait à la main, sur laquelle, hier soir, à l'aide d'un miroir, il avait effectué la transcription.

Une minute plus tard, il s'éloignait un tant soit peu, de manière à laisser voir à son assistant ce qu'il avait écrit. Cela se présentait comme suit :

« J'avais prévu le rendre public, mais il y eut les propos diffamatoires de tu sais qui, puis... la gloire.

Charles

P.-S. J'indique où on trouvera les cahiers d'écolier, au cas où on ne me croirait pas. »

— « Charles » est mis pour Charles Feinstein, dit-il. Il a signé de son seul prénom, mais je peux vous assurer, pour l'avoir longuement examinée, qu'il s'agit bien de sa signature. Monsieur Gardiner a parlé de deux feuilles...

— Monsieur Gardiner ?

— James Gardiner, l'ancien relieur qui a conservé les lettres de Feinstein passant commande des exemplaires. Deux feuilles de papier, mais pas plus, auraient pu être cachées à l'intérieur de la couverture, a-t-il dit. À l'évidence, c'est exactement ce qui s'est produit ici. Bien sûr, le véritable objet de la dissimulation a été cette seconde feuille et non celle dont je viens de retranscrire le contenu... Tout de même, cela est assez extraordinaire, non?

Il s'approcha du tableau et encercla le « le » de « J'avais prévu le rendre public ».

— À quoi ce pronom se rapporte-t-il, d'après vous? À la seconde feuille placée en dessous, mais encore?

L'adjoint déclara qu'on ne pouvait rien dire de certain sur son contenu, mais il laissa aussi entendre que l'importance du document ne faisait aucun doute.

— Qu'il ait envisagé de le rendre public, monsieur, lui confère d'avance et *de facto,* à mon avis, la notoriété.

— Ni l'article de l'encyclopédie ni *Lettres et Pages de journal de Lewis Nunn* ne font mention de cette déclaration ou de ces cahiers d'écolier. J'ai passé toute la soirée à consulter ces ouvrages.

Puis, tirant une ligne avec la craie sous le dernier segment (« au cas où on ne me croirait pas »), le directeur observa encore, tournant la tête vers son adjoint:

— S'il a supposé qu'on puisse ne pas le croire, c'est sans doute, j'imagine, parce que la teneur de sa déclaration a quelque chose... d'incroyable, non?

Là-dessus, il lui fit brièvement part de ses cogitations de la veille. À son avis, Charles Feinstein avait dû rédiger le document principal bien avant de commander à l'imprimerie Seltz, Brothers and Others les exemplaires numérotés. De fait, une trentaine d'années plus tôt, comme la « gloire », l'une des deux raisons l'ayant empêché de le dévoiler, lui était venue dans les mois suivant la publication de *Young Alice,* lequel parut en 1895. Le court mot, quant à lui, avait probablement été écrit au moment où Feinstein, alité, avait procédé à la dissimulation, poussé peut-être par le besoin d'excuser un si long délai.

Par ailleurs, toujours selon le directeur, son destinataire était vraisemblablement Heda. C'était du reste probablement celle-ci qui avait découvert et retiré la déclaration et, ultérieurement, pris possession des cahiers d'écolier.

— Cela dit, Woodford, je ne crois pas qu'il soit possible d'en déduire beaucoup plus.

À la fin de ses réflexions, Peter Thornhill en était venu à la conclusion suivante : le mot soulevait trop de questions sans réponse — peut-être même était-il impossible d'y répondre — pour que lui ou quiconque qui n'était pas spécialiste puisse poursuivre plus avant. Cette découverte devait donc être confiée telle quelle aux experts, si fragmentaire et immatérielle fût-elle.

Eux seuls étaient désormais en mesure d'en inférer davantage ; de faire, manifestement, la lumière sur cette affaire.

5

Lettres et Pages de journal de Lewis Nunn, dont le bibliothécaire Frederic Sheldon avait retenu un exemplaire pour son patron, avait été publié trois ans plus tôt, soit en septembre 1960. L'ouvrage contenait au plus une centaine de lettres et à peu près le même nombre d'entrées de journal (dont certaines couvraient plusieurs pages). La plus ancienne des lettres de Charles Feinstein, adressée à sa nurse, avait été écrite en 1868. Le petit Charlie, alors âgé de cinq ans, disait l'aimer beaucoup, lui envoyait un bisou avec une mèche de cheveux et se plaignait d'être très fatigué d'avoir écrit une si longue lettre. La plus récente, écrite cinquante-huit ans plus tard, était celle du 21 novembre 1926 destinée à cette agence immobilière relativement à la vente de son appartement londonien.

Les personnes à qui Charles Feinstein écrivait étaient le plus souvent des membres de sa famille : ses parents, ses frères et sœurs, son demi-frère. Il leur faisait part des faits, petits et grands, de sa vie : celle d'abord de collégien ; puis, plus tard, celle d'enseignant au primaire ; enfin, plus tard encore, celle d'écrivain. Les autres personnes avec qui il correspondit sur une base plus ou moins régulière furent : le révérend Chapman, dont il avait fait la connaissance à l'époque de la création du célèbre conte ; Dwight W. Haythorne, son éditeur ; enfin, Florence Tennyson, sa « reine de cœur », comme on la surnomma en référence à un des personnages de *Young Alice*. Trois lettres teintées d'un amour pudique, s'échelonnant sur une période de deux ans, avaient été destinées à cette dame dont on ne savait rien, sinon que ce nom de Tennyson était fort probablement un nom d'emprunt.

Charles Feinstein écrivait surtout, si on peut dire, à lui-même. Ainsi, l'essentiel de l'ouvrage était constitué d'extraits de son journal, qu'il avait rédigés sur des registres *in-quarto* numérotés de sa main de «1» à «13». En outre, il s'agissait d'extraits tirés des cinq premiers registres seulement. (Selon certains, à en juger par la nature des réflexions que l'écrivain avait consignées du 2 janvier 1887 au 13 octobre 1902 — la période couverte par les numéros 1 à 5 —, il n'y avait pas lieu de s'en plaindre.)

Mark Spencer Higgins, qui avait fait paraître *Lettres et Pages de journal de Lewis Nunn*, se révélait l'expert à consulter. Il ne se trouvait dans l'ouvrage aucune mention de cette déclaration que Feinstein écrivait avoir voulu rendre publique, mais il pouvait s'en trouver, était-il légitime de supposer, dans les pages non publiées de son journal. De plus, quelque part dans ces pages inédites, Charles Feinstein devait aussi parler de cet incident où il avait été la cible de propos diffamatoires. Il devait y nommer le diffamateur, et aussi, plus important encore, la personne qui en avait été apparemment témoin, c'est-à-dire celle à qui il s'adressait dans son mot (le «tu» de «... tu sais qui»).

Il devait s'agir de Heda, la clé de cette affaire, car, une fois cet acronyme connu, l'étonnante déclaration de l'écrivain, ainsi que les cahiers d'écolier en confirmant la véracité, pourraient être retrouvés et leurs contenus éclaircis.

De prime abord, cependant, le choix de cet expert ne semblait pas très judicieux. Cela pour deux raisons. La première avait trait à sa relative inexpérience. Comme c'est souvent le cas, une des nombreuses informations trouvées au verso de la page-titre d'un livre, outre le copyright, le pays d'origine de la publication et ainsi de suite, est l'année de naissance de l'auteur (ou, dans ce cas-ci, de celui ayant eu pour tâche d'éditer ces lettres et ces extraits de journal). Et l'année de naissance de Mark Higgins était 1936. Comme nous étions en 1963, cela signifiait qu'il avait seulement vingt-sept ans. Il avait forcément peu d'années de recherches à son crédit.

La seconde raison était relative à son statut plutôt modeste. Au recto de cette même page-titre, dans son premier tiers, se trouvait en effet cette information :

« Édition établie et présentée par Mark Spencer Higgins, professeur auxiliaire de littérature anglaise au collège Rickley. »

Higgins n'était donc pas professeur titulaire, fonction habituelle d'un expert. Et il ne l'était toujours pas, trois ans plus tard, comme le confirmait un répertoire de l'année en cours listant le nom, le statut et le numéro de téléphone des employés de collège.

Malgré ses insuffisances, si on peut les appeler ainsi, Mark Higgins était un choix incontournable. En réalité, le seul et unique choix. Et pour s'en convaincre, il suffisait de poursuivre la consultation des pages précédant le corps de l'ouvrage, plus exactement de consulter la note de présentation, signée par sir Paul Harrisson, le nouveau légataire testamentaire de Charles Feinstein. Cette note se lisait ainsi :

« Pendant plus de trente ans, soit depuis la mort de Charles Lutwidge Feinstein en 1927, Julius Harrisson, mon père, s'est opposé à donner accès aux archives de l'auteur de *Young Alice*. Il souhaitait garder ces archives privées. Je l'ai franchement admiré d'avoir ainsi tenu tête durant toutes ces années aux sollicitations continuelles des critiques, biographes et chercheurs.

Depuis sa mort, survenue à la fin de l'année dernière, bon nombre d'universitaires se sont demandé ce que j'entendais faire, maintenant que je lui succédais. Allais-je continuer à interdire tout accès ? Ou allais-je plutôt ouvrir grandes les portes de ses archives ? Le présent livre, *Lettres et Pages de journal de Lewis Nunn*, est ma réponse. Elle paraîtra sans doute insatisfaisante à certains, mais j'espère qu'on aura l'honnêteté de reconnaître qu'elle est de beaucoup préférable à celle qui fut, de tout temps, donnée.

J'ai donc décidé de permettre l'accès aux archives de Charles Lutwidge Feinstein, mais à un seul chercheur et pour une seule période, soit celle nécessaire pour préparer ce livre. J'ai choisi pour ce faire un homme promis à une belle carrière, me semble-t-il, Mark Spencer Higgins. La jeunesse de monsieur Higgins est d'ailleurs à l'image des livres de Lewis Nunn, qui les écrivait d'abord et surtout, comme on sait, pour les jeunes.

Avec la publication de ce livre, je clos définitivement le dossier des archives de mon oncle. Celles-ci ne sont d'ailleurs plus, physiquement, en ma possession. Elles ont été remises à mon conseiller juridique, maître William Muller, que j'ai officiellement nommé dépositaire.

Je ne crois pas faire injure à la mémoire de Charles Lutwidge Feinstein en affirmant que ses œuvres littéraires valent cent fois ses écrits épistolaires ou les diverses observations qu'il consignait dans son journal. La publication de ce livre aura peut-être le mérite, après tout, de nous rappeler que le meilleur de bien des artistes se trouve dans leurs œuvres et que c'est à celles-ci qu'on doit d'abord et avant tout s'intéresser. »

Higgins était donc un expert incontournable car il ne se trouvait aucun autre chercheur qui eût pris connaissance des pages non publiées du journal de Charles Feinstein.

6

Le bureau occupé par Mark Higgins au collège Rickley, dans lequel, en ce lundi 6 mai, il venait d'inviter Peter Thornhill à pénétrer avec un aimable empressement, se trouvait au rez-de-chaussée, au bout du corridor principal, celui-là même qu'arpentaient les étudiants de premier niveau pour se rendre d'une classe à l'autre.

La proximité d'un tel va-et-vient ne semblait guère propice au travail intellectuel, mais Higgins disait s'en accommoder. Il allait d'ailleurs expliquer à un moment, au cours de cette rencontre, comme s'élevaient les voix des élèves à la sortie d'un cours, qu'il réfléchissait mieux parmi ce brouhaha que dans le « silence de mort » du dernier étage. (Son invité eut une imperceptible réaction à cette remarque, se sentant concerné, car le dernier étage était habituellement réservé aux plus anciens des professeurs et... à la direction du collège.)

Avec son visage mince quasi imberbe, sinon pour une touffe de poils roux très clairsemés au menton, Mark Higgins gardait, malgré ses vingt-sept ans, des airs de jeune homme à peine émergé de l'adolescence. Il avait d'ailleurs conservé le regard d'une certaine jeunesse, à la fois distant et défiant. Habituellement en manches de chemise, il avait aujourd'hui passé un veston de tweed qui lui seyait. Il portait aussi des verres à monture d'écaille, lesquels lui donnaient une allure davantage proche de son âge. De plus, il avait apporté des changements à son modeste bureau : il y avait mis un peu d'ordre. La paperasse avait été rangée, tout autant que les documents sur les étagères où, la veille encore, ils s'empilaient à l'horizontale sur les rayonnages en présentant souvent non leur dos mais leur tranche, ce qui rendait leur identification impossible à moins de les retourner.

Dans ce décor plutôt impersonnel, un seul objet relatif à sa vie privée : une photo, tirée l'année précédente, sur laquelle on le voyait entourer d'un bras protecteur son neveu d'une dizaine d'années, lequel, casqué, tenait dans ses mains un ballon de rugby. Pour peu que l'on connaisse Higgins, cette photo avait quelque chose d'exceptionnel. Lui, à qui on n'avait jamais témoigné d'affection et qui n'en avait jamais témoigné à personne — surtout pas à sa famille, qu'il se retenait de détester —, s'était laissé attendrir. Il suivait la carrière sportive de son jeune parent, l'accompagnait à l'occasion des tournois, lui prodiguait ses encouragements. Ce faisant, il empêchait, à son insu peut-être, que son propre cœur ne se referme comme une huître.

— Je peux facilement comprendre, fit-il, en invitant d'un geste Peter Thornhill à prendre place dans le fauteuil en face de lui, votre intérêt pour cette curiosité. Appelons la chose ainsi pour le moment, si vous le voulez bien.

Il marqua un temps et regarda plus directement son hôte, comme pour mieux mesurer chez lui, aurait-on dit, son état de préoccupation.

— On serait, du reste, intrigué à moins, n'est-ce pas ? enchaîna-t-il, en s'asseyant à son tour. Cela dit, monsieur Thornhill, soyez assuré de ma collaboration la plus entière pour élucider cette affaire.

Avec beaucoup d'attention et de sérieux, Mark Higgins examina longuement les diverses pièces attribuées au célèbre auteur que le directeur du collège Duffin était venu soumettre à son expertise : les reproductions des lettres à l'imprimeur, datées des 8 et 15 mars et 23 mai 1927 et portant la signature «Charles Lutwidge Feinstein» (Peter Thornhill avait fait tirer un certain nombre de copies à même les reproductions de James Gardiner); les empreintes partielles rehaussées à la mine de plomb de la page de faux titre du vieil exemplaire de *Young Alice* de monsieur O'Connor; et surtout, celles, complètes et inversées, de résidus d'encre au verso du papier couleur du même exemplaire et signées simplement « Charles ».

Cet examen se déroula dans un parfait silence qui fut ponctué, à l'occasion, de petits murmures de la part de l'examinateur ; murmures dont on n'aurait su dire au juste ce qu'ils exprimaient. À deux ou trois reprises, Mark Higgins leva aussi brièvement le regard vers son hôte, comme pour lui indiquer de continuer à être patient.

Après ce qui parut à ce dernier une éternité, Higgins, s'adossant dans son fauteuil et retirant ses verres, déclara :

— Eh bien, voilà une curieuse trouvaille. Qui l'a faite ?

— Hum, l'un des employés du collège a découvert les empreintes sur la page de faux titre. J'ai ensuite fait le lien entre celles-ci et Charles Feinstein, en reconnaissant sa signature.

— Vous voulez dire, observa Mark Higgins, que vous l'avez reconnue en complétant mentalement les lettres manquantes de son nom ?

Le professeur auxiliaire jeta encore une fois les yeux sur la photographie agrandie et contrastée du texte tronqué de la devinette. La moitié des lettres des mots *Charles* et *Feinstein* étaient déjà identifiables.

— Aussi étrange que cela paraisse, répondit Peter Thornhill, c'est d'abord sa manière d'écrire que j'ai reconnue.

La semaine précédente, en consultant un article de l'encyclopédie *Britannica* qui voisinait celui consacré à Charles Lutwidge Feinstein et dans lequel sa signature était reproduite, le directeur s'était amusé, disait-il, dans un moment de distraction, à chercher à l'imiter. Sa graphie lui était encore toute fraîche en mémoire quand il consulta l'exemplaire de monsieur O'Connor.

Mark Higgins se garda de réagir devant cette explication et demanda plutôt :

— À propos, qui est ce monsieur O'Connor ?

— Il est le concierge de notre collège. L'exemplaire lui appartient.

Le professeur auxiliaire hocha la tête et interrogea Thornhill sur l'enchaînement des événements qui l'avaient amené à découvrir les traces d'écriture au verso du contreplat. Il le félicita d'avoir su pressentir que l'intérieur de la couverture avait servi de lieu de cachette.

Mark Higgins continua ainsi un temps à interroger son hôte sur le ton familier de la conversation jusqu'à ce que celui-ci interjette :

— Quel est votre avis, monsieur Higgins ? Les pages inédites de son journal dont vous avez pris connaissance peuvent-elles nous éclairer sur tout ceci ?

De la main, Peter Thornhill venait d'indiquer les pièces étalées devant lui. Il était impatient de connaître l'opinion du spécialiste, mais aussi de couper court à ses questions. Elles commençaient à instiller dans son esprit la désagréable impression que sa présence dans ce bureau avait d'abord pour but de renseigner le professeur auxiliaire sur la découverte plutôt que de l'éclairer, lui.

Mark Higgins se renversa un peu plus dans son fauteuil et commença tranquillement à nettoyer ses verres à l'aide d'un papier mouchoir. Par un trait de sa personnalité, il était des plus étonnants : rien ne semblait le troubler. Cela tenait au fait qu'il en avait vu bien d'autres. Ainsi, il avait failli mal tourner. Vers l'âge de seize ans, il était devenu délinquant et avait fait des séjours plus ou moins prolongés dans plusieurs maisons de correction. Il n'était pas violent, mais commettait à répétition des larcins. Il avait toujours été pauvre — ses parents vivaient de l'assistance sociale — et il était impatient, il faut croire, de quitter son état d'indigence.

Fait étrange, ce fut à la suite d'un accident qu'il retrouva le droit chemin. Un jour, en jouant au rugby, il fut plaqué si durement qu'il fut incapable de se relever. Pendant plusieurs semaines, les médecins crurent qu'il ne marcherait plus. Ils se trompaient. Il retrouva l'usage de ses jambes, quoiqu'il ne put jamais se tenir droit. Une de ses vertèbres avait été déplacée de façon irrémédiable. De sorte qu'aujourd'hui, malgré son air si jeune, il marchait comme un vieillard.

Durant les trois mois passés à ce centre de réadaptation fonctionnelle, il eut tout le loisir de faire le point sur sa vie et de réaliser qu'il pouvait toujours, avec un peu d'effort, en changer le cours. Tous ces travailleurs professionnels qu'il côtoya au cours de sa convalescence — médecins, infirmières, physiothérapeutes, etc. — lui donnèrent le goût de décrocher à son tour des diplômes.

À l'aumônier de l'institution, dont l'influence bienfaisante l'incita à se remettre en question, il annonça solennellement qu'il mettait fin à sa carrière de voleur à la tire (il n'avait plus les jambes, blaguait-il) et qu'il entendait désormais étudier fort pour entrer au collège, puis à l'université. Cette intention fut accueillie par un prudent scepticisme par ses professeurs de l'époque. Ils lui reconnaissaient de l'intelligence, mais peu de volonté. N'empêche qu'il entra au collège et à l'université et, quoique ses résultats scolaires ne furent jamais excellents, se situant tout juste dans une honnête moyenne, il n'en obtint pas moins tous ses diplômes.

— J'ai une opinion, dit-il, mais avant de vous en faire part j'aimerais m'assurer, hors de tout doute, qu'il s'agit bien de l'écriture du grand homme...

S'il s'agissait bien de l'écriture de Charles Feinstein? Peter Thornhill ne put retenir une expression d'étonnement:
— Que voulez-vous dire?
— Je reconnais d'emblée, reprit doucement Mark Higgins, que cette façon d'écrire, comme vous avez été à même de le constater à partir de sa signature reproduite dans l'encyclopédie, est très semblable à celle de Feinstein. Mais la manière qu'a quelqu'un de tracer les caractères n'est pas le seul test d'authentification, voyez-vous. Il y en a un second: l'analyse du support, en l'occurrence, ici, le papier sur lequel on a écrit. Histoire de déterminer sa provenance, son âge, son degré de ressemblance avec le type de papier que je sais que l'écrivain avait l'habitude d'utiliser. Si cela est impossible à évaluer dans le cas des empreintes d'écriture au verso du papier couleur et sur la page de faux titre, car leur support a disparu, on peut à tout le moins se rabattre sur les lettres à l'imprimeur, non?
Il fit une pause, puis décréta:
— Je ne pourrai me prononcer sur tout ceci, monsieur Thornhill, qu'une fois que j'aurai pu examiner les originaux des

lettres en possession de ce monsieur Gardiner et non de simples reproductions, aussi fidèles soient-elles. D'ailleurs, aucun spécialiste sérieux ne ferait autrement.

Là-dessus, replaçant ses verres sur son nez, Mark Higgins posa son regard sur son invité, en attente d'une réaction de sa part. Cette demande d'examiner les lettres originales était on ne peut plus légitime et guère surprenante, à la vérité. Elle faisait écho à la remarque qu'avait adressée au directeur le bibliothécaire de son collège.

Peter Thornhill ne put que s'y conformer.

— Ce monsieur Gardiner à qui les lettres appartiennent est un retraité, m'avez-vous dit ? Il devrait pouvoir se libérer sans trop de difficulté...

7

James Gardiner se libéra avec beaucoup de difficulté. Il était, de fait, entièrement libre de son temps et sans obligation aucune, mais Peter Thornhill dut déployer beaucoup d'insistance et de diplomatie pour le convaincre de se présenter au collège Duffin afin de soumettre les lettres en sa possession au regard scrutateur d'un spécialiste.

— Il s'agit d'une simple formalité, monsieur Gardiner, lui répéta Peter Thornhill le surlendemain, en voyant son air anxieux. Par ailleurs, vous devriez être intéressé, je crois, par le but premier de cette rencontre, qui est de connaître le fond même de cette découverte.

Le retraité força un sourire en forme de grimace qui trahissait un intérêt pour le moins mitigé. Peter Thornhill lui présenta Mark Higgins, installé déjà dans la salle de réunion depuis une quinzaine de minutes. Sans un mot, le vieil homme lui remit l'enveloppe contenant les missives, puis alla sagement s'asseoir à un bout de la table, en retrait des chaises déjà occupées par les deux autres.

Après en avoir examiné le papier, Higgins déclara que les lettres étaient « indubitablement authentiques ».

— Cela ne fait aucun doute : il s'agit du même type de papier que celui qu'utilisait Charles Feinstein, assura-t-il.

— Par corollaire, les empreintes d'écriture sur l'exemplaire de monsieur O'Connor le sont aussi ? fit observer Peter Thornhill.

— Oui.

Le directeur eut une expression satisfaite, puis posa la question suivante :

— Le petit mystère des empreintes de la page de faux titre, monsieur Higgins, ayant été résolu — ce dernier avait en effet confirmé qu'il s'agissait d'une simple devinette dont la solution conduisait à éventrer la couverture —, seriez-vous en mesure de nous éclairer cette fois sur le document auquel ce mot se rapporte ?

En disant cela, le directeur désigna le tableau noir amovible qu'il avait fait transporter dans la salle où se tenait la rencontre. La retranscription, amplement annotée, apparaissait toujours au tableau :

« J'avais prévu le rendre public, mais il y eut les propos diffamatoires de tu sais qui, puis... la gloire.

Charles

P.-S. J'indique où on trouvera les cahiers d'écolier, au cas où on ne me croirait pas. »

— Je veux bien, mais en l'absence du document lui-même, avertit le professeur auxiliaire, tout ce que je dirai de sa teneur — moi ou quiconque, du reste — ne peut être considéré, au sens strict du terme, que comme une hypothèse. Et ce, malgré qu'elle s'établisse, comme vous verrez, à partir des faits connus sur Feinstein ou de ce qui peut être déduit en toute certitude de cette note.

— Nous comprenons cela, assura le directeur.

Là-dessus, Mark Higgins se leva et se mit à parler un peu comme s'il s'était adressé à une classe, déambulant devant le tableau, l'indiquant du doigt et, à l'occasion, y faisant une marque quelconque à l'aide d'une craie.

Il confirma d'abord l'une des déductions du directeur, celle voulant que le document ait été écrit une trentaine d'années avant la note qui s'y rapportait.

— D'ailleurs, le renvoi aux cahiers d'écolier du post-scriptum corrobore cela, en suggérant que la période se situe au temps où il enseignait, de 1891 à 1894, dans une école primaire.

Après avoir mentionné qu'il y était chargé de l'enseignement de plusieurs matières, mais plus spécifiquement d'arithmétique, et fourni plusieurs autres renseignements relatifs à cette période, il poursuivit :

— Le fait de signer de son seul prénom indique comme vous pouvez le déduire vous-même que la personne à qui il s'adresse — Heda, comme vous l'avez baptisée — est une personne qui lui est familière...

— À propos, le coupa Peter Thornhill, qui est-elle au juste ?

C'était l'une des questions qu'il avait souhaité poser au collège Rickley, avant que Mark Higgins exige d'examiner d'abord les lettres originales.

— Je suppose, argumenta-t-il, que Feinstein a dû relater quelque part dans son journal, quoique non dans les extraits publiés, ces propos diffamants dont il fut l'objet ?

— Très certainement, reconnut volontiers Mark Higgins.

— Et je suppose aussi que cette personne, Heda, fut de quelque manière associée à cet incident ?

Mark Higgins acquiesça.

— En conséquence, en relatant celui-ci, il doit, ne serait-ce qu'en passant, avoir fait mention du nom de cette personne ?

— C'est probable, concéda-t-il.

— C'est probable ? Vous ne le savez pas ? Vous ne pouvez pas dire si, dans son journal, il fait ou non mention d'une personne dont le nom se termine par la syllabe *da* ?

— Non, je ne peux pas, avoua très candidement Mark Higgins.

Le professeur auxiliaire marqua un temps, puis expliqua :

— Voyez-vous, outre le fait que je n'ai eu accès qu'à une partie de son journal...

— Les cinq premiers registres couvrant la période 1887-1902 ?

— Oui.

— N'est-ce pas précisément durant cette période que l'incident eut lieu ? Après tout, ces propos diffamatoires, qui précèdent dans le temps sa célébrité, ne doivent tout de même pas lui être si antérieurs ?

— C'est juste, corrobora encore Mark Higgins. Comme je viens de le mentionner, cet épisode se situe très vraisemblablement entre 1891 et 1894... mais, voyez-vous, si j'ai eu accès aux pages de son journal couvrant ces années, certaines d'entre elles avaient été retranchées.

— Retranchées?

— Oui. Arrachées des registres. La mention de cet incident, de cette personne et de cette déclaration était probablement consignée dans ces pages.

— Mais retranchées pourquoi? demanda le directeur, décontenancé par cette révélation.

— Vous ne tarderez pas à comprendre, dit Mark Higgins, qui sentait l'impatience de l'autre à connaître le fond de sa pensée. Permettez que je reprenne où j'en étais... Cette personne familière à qui Feinstein s'adresse dans ce mot, il lui a aussi posé cette devinette partiellement reproduite sur la page de faux titre du livre de monsieur O'Connor. Par ailleurs, on sait que ses devinettes, ses énigmes, ses charades, pleines de candeur et de naïveté, n'étaient posées qu'à des enfants. C'était pour eux, et pour eux seuls, qu'il les élaborait.

— Voulez-vous laisser entendre, s'étonna encore Peter Thornhill, que la personne à qui il s'adresse est un enfant?

Cette suggestion fit naître un sourire sur les lèvres du professeur auxiliaire.

— Non, bien sûr. Plutôt à une ancienne élève qu'il a connue à cette époque, et la devinette constitue une sorte de réminiscence d'un jeu auquel ils s'adonnèrent.

— Hum, vous avez dit « une » ancienne élève?

Mark Higgins confirma d'un hochement de tête.

— Si mon opinion sur la nature du document est bonne, Heda est assurément de sexe féminin.

Il retourna vers le tableau et, à l'aide de la craie, tira un trait sous les mots *propos diffamatoires*.

— Ces propos, dit-il, ne peuvent concerner que les accusations d'attentat à la pudeur dont Feinstein fit l'objet durant ces années.

Mark Higgins fit une pause, puis demanda si messieurs Gardiner et Thornhill étaient informés du fait que Charles Feinstein entretenait avec de toutes jeunes filles des relations charnelles.

La question fut accueillie par un lourd silence.

— De celles qui sont inavouables, continua Mark Higgins, parce qu'elles ont lieu entre un adulte et un enfant...

— Continuez, dit Peter Thornhill pour ne pas laisser le silence se prolonger indûment.

L'autre se remit à déambuler.

— Cette attirance sexuelle pour les fillettes faisait naître en lui des remords indicibles. Il faut se rappeler ceci : son père était pasteur, les prières en famille étaient récitées matin et soir, le dimanche était sacro-saint, on lisait régulièrement la Bible ; bref, Charles, comme ses frères et sœurs, fut élevé selon les préceptes de l'Évangile et dans la mortification de la chair.

— Où voulez-vous en venir ? coupa Peter Thornhill, indisposé par ces nombreuses allusions à la morale.

— Je veux en venir à la nature de ce document, lequel est une vaine tentative, à mon avis, de lutter contre cette attirance.

Mark Higgins s'immobilisa et fixa ses deux auditeurs.

— À cette impulsion morbide à laquelle il ne peut résister, opposer un remède draconien : s'interdire à tout jamais d'enseigner, se soustraire à ce contact quotidien et permanent avec la tentation. Comment ? En rendant publique, comme il dit, sa relation avec cette jeune élève, c'est-à-dire ici, vraisemblablement, en la dévoilant aux autorités de son école. Un peu, je dirais, comme ces joueurs invétérés qui révèlent leur compulsion à des directeurs de maison de jeu en leur demandant instamment que l'accès à leur établissement leur soit interdit.

Peter Thornhill resta bouche bée en entendant cela.

— De ceci, continua Mark Higgins, qui poursuivait sur sa lancée, j'infère que les cahiers d'écolier appartenaient à Heda. Elle devait s'en servir comme d'une espèce de journal intime. Certains des petits événements qu'elle y consignait devaient se rapporter à sa relation particulière avec Feinstein et ce dernier, craignant que cela lui soit préjudiciable si ces cahiers tombaient dans d'autres mains, les lui aurait tout bonnement dérobés.

Il fit une pause pour laisser place à une question, à un éclaircissement. En vain. D'abord, Peter Thornhill, le principal intéressé, semblait muselé par le caractère choquant de la nature supposée du document de Feinstein. Puis James Gardiner restait muet comme une tombe. Son comportement effacé et circonspect ne semblait cependant pas surprendre Higgins. Tout en parlant et en gesticulant, il lui avait jeté subrepticement quelques regards par en dessous, qu'on aurait dit d'intelligence.

Le silence de ses auditeurs ne l'indisposa pas et il reprit :

— Les pages de son journal qui furent retranchées, monsieur Thornhill, de l'aveu même du légataire de Feinstein, le furent pour des raisons de censure. Elles contenaient des détails scabreux sur ses relations particulières, détails qu'on a jugé plus approprié d'éliminer. Par ailleurs, même si ces pages n'avaient pas été détruites et nous auraient permis de connaître à quoi correspondent ces lettres (il venait d'ajouter au tableau un cercle de plus autour de « .h… .e…da »), nous ne serions pas nécessairement plus avancés. Voyez-vous, elles peuvent très bien ne pas composer le nom véritable de la destinataire, mais un de ces petits surnoms dont il aimait affubler ses conquêtes. Ajoutez à cela qu'il en a connu un grand nombre et vous serez à même de mesurer la difficulté que nous aurions eue à trouver l'identité de celle qui nous préoccupe ici. De plus... le but de cette identification de la destinataire était de retrouver l'un ou l'autre de ces documents, n'est-ce pas ? Comme vous le supposez, cette personne a déchiffré la devinette qui accompagnait l'exemplaire, éventré la couverture, pris possession du mot et de la déclaration, puis récupéré, à l'endroit précisé par l'écrivain, ses vieux cahiers d'écolier.

Peter Thornhill, le visage encore fermé par la contrariété de ce qu'il avait entendu plus tôt, s'abstint de répondre.

Mark Higgins s'empressa de conclure :

— Je suis intimement convaincu que son identité ne nous aurait pas permis de retrouver le moindre de ces documents. Parce que, je vous le demande, que pouvait-elle vraiment en faire, après toutes ces années ? Que pouvait-elle faire de ces preuves d'une relation pédophile ? Les rendre publiques, selon l'intention première de Feinstein, pour entacher un peu plus la réputation d'un homme qui se meurt et révéler, par le fait même, qu'elle fut violentée étant enfant ? Ou plutôt juger que cela appartenait à un passé qu'il était plus sage d'oublier et éliminer, par conséquent, toutes traces ? N'est-ce pas du reste la plus probable des raisons expliquant que ces documents soient restés introuvables depuis plus de trente-cinq ans ?

Peter Thornhill n'eut guère de réaction devant cette dernière supposition de Mark Higgins. Que la déclaration, dont la teneur devait être incroyable, pût avoir disparu à tout jamais lui semblait soudain secondaire. Si ce que Higgins lui avait appris relativement à la nature de Feinstein était vrai, s'il s'agissait bien d'une confession se rapportant à l'agression sexuelle dont aurait été victime une enfant, alors l'idée qu'elle puisse être révélée par ses soins le mettait très mal à l'aise.

— Je déconseillerais de publier cette découverte, déclara Mark Higgins. Pas tant en raison de la délicatesse du sujet, à la vérité, qu'en raison de l'absence des documents eux-mêmes.

8

Le vendredi 10 mai, deux jours après la rencontre au collège Duffin, Mark Higgins téléphona à une personne avec laquelle il avait, pour tout dire, perdu contact. Le professeur auxiliaire avait conscience que son interlocuteur n'allait pas particulièrement se réjouir de son initiative, mais cela n'avait guère d'importance pour lui. Sa déférence à son endroit était depuis les trois années écoulées complètement disparue. Comme il ne voulait pas le joindre à son bureau, il l'appela chez lui, assez tôt pour être certain qu'il s'y trouverait encore.

Sir Paul Harrisson, neveu de Charles Lutwidge Feinstein et son légataire universel, s'y trouvait en effet. Il fut surpris de cet appel téléphonique et fut certainement moins que ravi de le recevoir. Les premiers instants, il ne pensa même qu'à la manière de se débarrasser, aussi poliment que possible, de cette connaissance assez singulière qu'il avait presque fini par oublier. Mark Higgins, venant au fait de son appel, l'en empêcha en déclarant qu'une certaine personne l'avait consulté au sujet de documents inédits ayant appartenu au grand écrivain. Se refusant ensuite à en dire plus au téléphone, il demanda à le voir concernant cette affaire qu'il qualifia de « très délicate ».

Mark Spencer Higgins et sir Paul Harrisson avaient été présentés l'un à l'autre en janvier 1960, à l'occasion d'un spectacle au bénéfice du département de littérature anglaise du collège Rickley. Ce soir-là, le dignitaire s'était montré sous un jour inhabituel : ouvertement et simplement, il s'était livré au jeune homme. La période qu'il vivait, disait-il, était éprouvante. Un mois plus tôt, son père, pour qui il avait sinon de l'affection du moins du respect, était décédé d'une attaque d'apoplexie. De lourdes responsabilités lui revenaient depuis en tant que nouveau président-directeur de la Société des garants de Lewis Nunn. Enfin, il y avait toutes ces demandes d'accès aux archives de Charles Feinstein, qui, avec la mort de Julius Harrisson, avaient repris de plus belle. À leur égard, il se sentait déchiré : devait-il continuer à opposer un non catégorique aux chercheurs ou, à l'inverse, leur dire oui, mais ce faisant trahir la volonté de son défunt père ?

Mark Higgins, flatté de ces confidences, avait su adopter l'attitude appropriée dans les circonstances : il avait été un auditeur attentif et discret. Une semaine plus tard, le dignitaire lui donnait un coup de fil à son bureau du collège Rickley. Il croyait avoir trouvé la solution à son dilemme et souhaitait lui en parler. Accepterait-il de venir le rencontrer à sa résidence ? Le lendemain, Higgins fut reçu dans la bibliothèque du manoir. La dimension et l'opulence de cette pièce renforcèrent son ambition de vivre lui aussi un jour richement. Assis dans un large fauteuil face à la cheminée en pierre, un verre à la main, il écouta respectueusement sir Paul.

Le légataire avait passé les derniers jours, disait-il, à prendre connaissance des archives de son oncle et, plus particulièrement, de ses lettres et d'une partie de son volumineux journal. Le refus obstiné de son père de permettre l'accès aux archives de son demi-frère était motivé par une question de morale. Parmi la centaine de lettres, sir Paul n'en avait trouvé aucune qui fût, à son jugement, de moralité douteuse. Il y avait bien, ici et là, des passages sujets à interprétation, mais sans plus. Quant au journal, le légataire reconnut que c'était... « plus délicat ». Après tout, Charles Feinstein s'écrivait à lui-même et n'avait donc pas à se censurer. Sir Paul n'avait pas lu les treize registres du journal car, expliqua-t-il candidement, ces registres lui « tombaient des mains ». Au bout du cinquième, lassé par la multitude d'observations personnelles et redondantes, il avait cessé de les lire.

Le journal était « gênant », car il contenait certains passages moralement discutables. Le dignitaire avait d'ailleurs pris la peine d'inscrire pour ceux-ci dans la marge la consigne « non ». D'autres segments devaient avoir été encore davantage scabreux, car Julius Harrisson avait tout bonnement retranché les pages où ils se trouvaient. Cela dit, Paul Harrisson exposa à son invité la solution à son dilemme : elle consistait à publier les lettres et des extraits du journal. Ces extraits seraient tirés des cinq premiers registres, dont il avait pu vérifier la teneur. Les passages marqués « non » ne seraient pas retenus. Enfin, voulait-il se charger de cette publication ?

Durant les six semaines suivantes, Mark Spencer Higgins partagea son temps entre son travail de professeur auxiliaire à Rickley et celui d'éditeur d'une partie des archives de Charles Feinstein ; tout ce travail se déroulait dans la petite étude adjacente à la bibliothèque du manoir de sir Paul Harrisson. L'entreprise exigeait de l'application et une certaine attention aux détails. Ces caractéristiques n'étaient pas tout à fait celles de Higgins, et il en vint à utiliser à répétition les mêmes circonstances, les mêmes justifications pour éclairer le contexte d'une lettre, d'un extrait de journal. Un mois et demi s'étant à peine écoulé, sir Paul le surprit même un jour plongé dans la lecture, non des documents qu'il lui avait confiés, mais d'un hebdomadaire illustré. Cet incident avait fait comprendre au dignitaire que son engagé, grassement rémunéré, avait complété son contrat.

Trois ans plus tard, un peu contre son gré, il le retrouvait devant lui.

— Les documents qui devraient tant m'intéresser se trouvent, je suppose, dans cette chemise bleue ? interrogea-t-il, en indiquant le dossier remis par Peter Thornhill à Higgins, qui le tenait sous son bras.

— En effet, monsieur, répondit le visiteur tout en promenant un regard admiratif autour de la pièce qu'il connaissait bien.

Mark Higgins était ravi, en particulier, de revoir les étagères en bois d'acajou. Elles s'élevaient jusqu'au plafond et devaient contenir deux à trois mille livres. La plupart avaient appartenu à des générations de Feinstein (Charles Lutwidge, mais aussi son père et son grand-père).

Le professeur auxiliaire ouvrit la chemise bleue, en sortit les reproductions des lettres à l'imprimeur et les tendit à son hôte.

— En voilà trois, monsieur, observa-t-il, que votre père n'a pu recouvrer.

Dans les mois suivant la mort de Charles Feinstein, Julius Harrisson, son seul héritier, fit en sorte de récupérer toutes les lettres encore existantes de son célèbre demi-frère. Pour y parvenir, il disposait d'un formidable outil : le journal. En effet, quand Charles Feinstein écrivait à quelqu'un, il le mentionnait immanquablement dans celui-ci. Julius Harrisson savait donc à qui son demi-frère avait écrit et à quelle date. La majorité des lettres — adressées aux membres de sa famille — étaient déjà en sa possession.

En compulsant les registres — ceux qu'avait bien voulu lui remettre sir Paul Harrisson —, Mark Higgins avait remarqué, au bout du nom des destinataires des lettres, un crochet tracé d'une autre main — qui était celle du père de sir Paul — et avait ainsi facilement déduit la manière dont celui-ci avait procédé pour les recouvrer.

— Il advint, monsieur, expliqua le jeune rouquin, que le destinataire de ces trois lettres, monsieur Seltz, les mit au panier, trouvant certains passages insultants pour sa personne. Elles furent récupérées, mais à son insu. De sorte qu'on peut imaginer que lorsque votre père ou son représentant s'est présenté chez lui pour les lui acheter, l'imprimeur a dû simplement l'informer qu'il s'en était débarrassé à tout jamais.

Sir Paul porta son attention sur ce que Mark Higgins venait de lui remettre. La façon d'écrire, analogue à celle de son oncle, le frappa. Il lut les lettres en silence, puis, levant le regard sur son visiteur, demanda :

— Ce livre que mon oncle a commandé en 1927 à cet imprimeur Seltz... l'avez-vous vu ?

— Oui, monsieur.

— Pourriez-vous me le décrire ?

Après que l'autre lui eut mentionné quelques-unes de ses caractéristiques, tels la couverture en peau, les coins renforcés, les nerfs striés du dos, le dignitaire se leva, parcourut un moment des yeux un ou deux rayonnages, en tira un livre et le tendit ensuite à son interlocuteur.

— Comme celui-ci ?

Ce qu'il venait de lui remettre était un exemplaire identique de *Young Alice*, excepté pour le chiffre romain sur le côté : il y était inscrit « IV » au lieu de « I ».

— Oui, oui, comme celui-ci... Exactement comme celui-ci, dit Higgins, en le tournant en tous sens pour en faire une juste appréciation.

Il regarda son hôte :

— D'où vient-il ?

— De l'héritage de mon oncle, bien sûr. Il en a peut-être existé, à l'origine, dix comme celui-ci, mais c'est le seul qui nous reste. Mon père était un homme frugal, il a certainement jugé superflu de posséder plus d'un exemplaire d'un même livre et s'est départi des autres.

— Ils semblent identiques, excepté, corrigea Higgins en reportant ses yeux sur l'exemplaire, pour le numéro au dos... et pour son contreplat. Celui-ci est en parfaite condition, mais pas l'autre.

Puis il remit au légataire son exemplaire. Le mettant de côté, sir Paul Harrisson porta de nouveau son attention sur la première missive et sur le passage relatif au non-encollage du papier couleur.

— Pourquoi, Dieu ! aurait-il demandé que ce livre soit inachevé ? s'étonna-t-il à haute voix.

Un mince sourire se dessina sur les lèvres du professeur auxiliaire, comme s'il avait attendu, depuis son arrivée, cette question.

— En vue d'y dissimuler des documents, monsieur.

— Pardon ?

— Deux feuilles de papier, pour être exact. Votre oncle a écrit sur l'une puis sur l'autre à deux moments différents fort espacés dans le temps. Il a utilisé cette couverture non encollée, spécialement commandée dans la première lettre à cet imprimeur, pour les cacher à l'intérieur, a recollé la page de garde, puis donné quelques indices sous forme d'une énigme dont la solution révélait où les documents étaient dissimulés, puis il a expédié le livre accompagné de la devinette à une ancienne... connaissance — qui n'était pas du tout vieille, peut-on supposer, quand il eut une liaison avec elle.

Sir Paul Harrisson ne put réprimer un froncement de sourcils. La remarque était fort peu diplomatique, désobligeante même, mais il n'essaya pas de prétendre qu'il ignorait ce que Mark Higgins voulait insinuer.

Plutôt, il demanda hâtivement :

— Vous les avez avec vous, ces documents que mon oncle aurait dissimulés ?

— Non, monsieur. Ils ont été découverts, pas de doute, mais ils ont en quelque sorte disparu.

— Tiens donc ?

— Quoi qu'il en soit, il existe de solides preuves de leur existence. Si vous voulez bien jeter un coup d'œil sur ceci.

Il lui tendit un autre papier tiré de la chemise bleue, expliquant qu'il s'agissait d'une photographie des empreintes d'encre appartenant au premier document, celui placé au-dessus.

— Fort probablement, l'encre n'était pas complètement séchée quand votre oncle le cacha, ce qui fit que le verso de la couverture de cet exemplaire très spécial de *Young Alice* en absorba une bonne partie et que s'y trouva reproduite, bien qu'à l'envers, l'intégralité de son contenu. Il s'agit d'une courte note se rapportant au document principal en dessous, écrit quelque trente ans auparavant. Vous aurez besoin d'un miroir, monsieur, pour lire cette note.

Trouvant dans le second tiroir qu'il ouvrit le miroir qu'il cherchait, sir Paul lut, les yeux grands ouverts, la note signée « Charles », plus d'une fois, aurait-on dit, car il lui fallut plus de temps que nécessaire pour en détacher enfin son regard.

— Difficile de savoir, remarqua-t-il alors, ce que ce document que mon oncle voulait rendre public pouvait être à partir de si vagues indications, n'est-ce pas ?

Mark Higgins eut un sourire malicieux.

— Il va de soi, monsieur, qu'il s'agit là du cœur de cette affaire très délicate.

Pendant un moment, ils échangèrent un regard, comme si chacun avait cherché à deviner la pensée de l'autre.

— Je me demande, fit sir Paul, ce que vous avez pu leur dire... à ces gens à qui vous avez exprimé votre avis.

Higgins relata dans le détail l'opinion qu'il avait exprimée, mais en s'abstenant d'identifier les gens en question.

— Ce directeur de collège, l'initiateur de cette démarche auprès de moi, résuma-t-il à la fin, a trouvé pour le moins fâcheux que les documens recherchés puissent être de cette nature ; je serais fort surpris, monsieur, qu'il ébruite sa découverte.

Là-dessus, il souligna lui avoir déconseillé qu'elle soit publiée. Sir Paul Harrisson eut un simple hochement de tête.

— Bien sûr, continua le professeur auxiliaire, d'autres n'auraient pas mes scrupules, estimant qu'il y a là suffisamment de preuves pour justifier une publication.

Il fit une pause, puis proposa :

— J'ai pensé, monsieur, que vous seriez intéressé à les acquérir — les lettres et le bouquin marqué d'empreintes. Je crois qu'avec la juste somme d'argent je pourrais convaincre chacun des propriétaires de s'en départir.

Il laissa passer un instant, puis ajouta, sourire en coin :

— Ce qui vous permettra ensuite, monsieur, de vous en servir comme allume-feu pour votre si belle cheminée.

Le dignitaire supporta cette remarque ironique sans broncher. À la fin du travail d'édition de Mark Higgins et avant même que *Lettres et Pages de journal de Lewis Nunn* soit sorti des presses, sir Paul Harrisson, tel qu'il l'annonçait dans sa note de présentation, avait expédié à son avocat, William Muller, l'ensemble des archives de son oncle, c'est-à-dire ses lettres, les registres de son journal et aussi les manuscrits de ses œuvres. Le dignitaire avait glissé tous ces documents dans de larges enveloppes matelassées sur lesquelles il avait accolé une étiquette d'identification, puis il avait cacheté chacune à la cire. Leur dépositaire les conservait dans un coffre sur les lieux mêmes de son imposant cabinet.

Publier les lettres et des extraits du journal de son oncle avait pour but, comme disait sir Paul, de contenter les chercheurs. Il espérait ainsi mettre fin à leurs demandes répétées de consulter les archives mais, contrairement à ses attentes, elles continuèrent d'affluer après la parution de l'ouvrage. De fait, elles redoublèrent. Le livre présentait, reprochait-on, une image très édulcorée de ce qui avait dû être la vraie nature de l'auteur de *Young Alice*. Et ce n'étaient pas la trop courte introduction de Mark Higgins ou ses trop rares notes en bas de page, elles aussi vagues, qui pouvaient aider à faire la lumière sur la personnalité de Charles Feinstein. On mettait même assez ouvertement en question le jugement du légataire pour avoir confié ce travail à un chercheur si peu expérimenté.

Sir Paul Harrisson piqua apparemment une sainte colère. Sous des dehors distants, impassibles, il cachait, il est vrai, un caractère bouillant. Il confia à des proches qu'il n'allait pas s'en laisser imposer par ces universitaires à la curiosité presque malsaine. Il résolut de mettre «définitivement» fin à leurs requêtes incessantes de fouiller la vie privée de son oncle. Quelque licencieuse qu'eût été sa nature, s'emportait-il, ce n'était pas une raison pour qu'on l'exposât au grand jour.

Dans une lettre adressée au dépositaire des archives, Paul Harrisson ordonna la destruction pure et simple de celles-ci. En outre, il tint à ce qu'elle eût un caractère officiel. Un acte fut donc dressé, lequel stipulait que les archives de Charles Lutwidge Feinstein avaient été brûlées le 4 janvier 1961 par la firme Hawkins and Co. en présence de monsieur Richard Hawkins, directeur de la firme, de monsieur Thomas Wellington, l'employé qui avait procédé à l'incinération, et de maître William Muller, dépositaire des documents. La signature de ces trois personnes apparaissait au bas de l'acte. Les chercheurs qui avaient récemment demandé à examiner les papiers de Charles Feinstein en reçurent une copie en guise de réponse. La nouvelle fit vite le tour des spécialistes. Le geste extrême du légataire mit ainsi fin à toute sollicitation de leur part.

Sir Paul toisa Mark Higgins et crut avoir percé les intentions de ce dernier en venant lui parler de cette « délicate » affaire : le juste prix à payer pour épargner à la mémoire de son oncle une preuve supplémentaire de son comportement déshonorant. Il détermina rapidement la position à prendre.

— Oui... vous avez mon consentement pour négocier le prix de ces lettres et de ce bouquin. Par ailleurs, il faudra aussi compter vos honoraires... et, également, une quelconque prime pour votre initiative d'être venu me faire part de cette acquisition.

Là-dessus, le dignitaire se leva, indiquant par là qu'il mettait fin à la rencontre. Contrairement à son attente, Mark Higgins ne fit pas le mouvement de se lever à son tour. Il resta plutôt calé dans le fauteuil, tout en continuant à le regarder avec le même demi-sourire que plus tôt.

— Si vous le permettez, monsieur, j'aimerais que nous précisions... ces honoraires et le supplément, question de nous assurer qu'il n'y ait pas de malentendu. J'ai du reste fait le total et l'ai noté sur ce bout de papier.

Le rouquin sortit de la pochette de son veston une petite feuille pliée en deux et la lui tendit.

Le dignitaire marqua un temps. Ce procédé lui déplaisait et l'intriguait à la fois. Puis, il prit ce qui lui était tendu, jeta un œil à son contenu et eut un imperceptible haussement de sourcils. Le montant inscrit par Higgins était beaucoup plus élevé qu'il ne l'avait imaginé.

— Ce n'est pas sérieux ? observa-t-il.

— Je crois, oui, qu'il s'agit là de leur juste valeur.

Sir Paul Harrisson marqua un autre temps et toisa une fois de plus son vis-à-vis. Quel maladroit était ce désagréable personnage de se montrer si gourmand, pensa-t-il. Il voulait bien faire cette acquisition (pour, comme l'avait anticipé Higgins, faire disparaître ces nouvelles preuves qui déshonoraient son illustre parent), mais accepter de payer ce montant, ou même de le négocier, cela aurait été se prêter à du chantage. Sir Paul n'y consentirait jamais.

Sa position quant à la manière de traiter l'affaire changea du tout au tout. La mémoire de son oncle allait devoir encore être entachée.

— Je ne crois pas, tout bien réfléchi, fit-il, sur un ton posé, en remettant à Mark Higgins son bout de papier, que nous pourrons nous entendre.

— Pas même, monsieur, répliqua le professeur auxiliaire, pour éviter à votre société d'être l'objet de poursuites judiciaires ayant pour conséquence la compensation de sommes d'argent beaucoup plus importantes ?

Société à but lucratif, mais aussi, bien que secondairement, de bienfaisance, la Société des garants de Lewis Nunn avait pour mandat principal de s'assurer que ceux utilisant les œuvres de Lewis Nunn à des fins commerciales, peu importe la forme, paient une juste redevance. Ces œuvres, faut-il rappeler, n'allaient tomber dans le domaine public que dans un peu plus de quatorze ans, soit en 1977, cinquante ans exactement, comme le stipule la loi, après la mort de leur auteur. Ces droits d'auteur, qui provenaient essentiellement de *Young Alice*, n'avaient plus rien de commun, depuis longtemps, avec la simple vente de livres édités à des millions d'exemplaires et en des dizaines de langues. *Young Alice*, c'étaient aussi des films, des comédies musicales, des ballets, une série télévisée et même un parc d'attractions, sans compter les objets les plus divers, fabriqués en nombre incalculable : poteries, savons, papiers peints, figurines d'ivoire et de verre, tasses, théières, cartes postales, etc.

Le maître chanteur se serait soudainement mis à parler une autre langue, tout à fait inconnue de sa victime, que la réaction de cette dernière aurait été la même.

— Je ne vous suis pas...

— Comme je l'ai dit, monsieur, le cœur de cette affaire réside dans l'opinion qu'on peut se faire de la nature de la déclaration de votre oncle. La théorie que j'ai exposée à ces gens et dont je viens de vous faire part en est une... parmi d'autres. Elle est plausible, mais pas entièrement.

— Venez-en au fait, monsieur Higgins, interrompit sir Paul Harrisson.

— Se pourrait-il, monsieur, que certains universitaires, si jamais cela tombait entre leurs mains, puissent penser que les cahiers d'écolier que mentionne votre oncle contiendraient le véritable manuscrit de *Young Alice,* celui qu'il a remis à l'éditeur Haythorne au printemps de 1895 étant simplement une copie qu'il en avait faite ?

Sir Paul Harrisson eut un léger mouvement de recul.

— Je ne vous suis toujours pas...

— En d'autres mots, qu'ils puissent être amenés à penser que ce que votre oncle voulait rendre public était son aveu de ne pas être le véritable auteur du conte, monsieur ?

— Oh... cette histoire... fit doucement sir Paul tout en se rasseyant derrière son bureau.

Il saisissait enfin le sens des propos de son visiteur, ses véritables visées en demandant à le rencontrer et la raison pour laquelle il avait inscrit un montant si exorbitant sur son bout de papier. Dès le début et continuellement par la suite, *Young Alice* avait fait l'objet de spéculations concernant sa paternité littéraire. Comment un simple enseignant au primaire, réservé et fastidieux, en était-il venu à écrire un conte si brillamment absurde qui devint l'une des œuvres de langue anglaise les plus populaires ? Surtout quand les autres œuvres de Lewis Nunn — le fait de publier sous un pseudonyme était déjà suspect selon certains — ne réussirent jamais à égaler ce premier coup de génie, ne révélant, tout au plus, de leur auteur, qu'un certain talent ?

Le neveu de Charles Feinstein fixait maintenant son vis-à-vis avec un tout autre regard. Il s'agissait, en effet, d'une très délicate affaire et le jeu auquel le professeur auxiliaire se livrait était on ne peut plus risqué.

— Êtes-vous conscient, jeune homme, martela-t-il, d'un ton très sérieux mais teinté aussi, étrangement, de ce qui ressemblait à de la sollicitude paternelle, que ce qui est dans la balance ici, plus que toute autre chose, est votre carrière universitaire ?

Cette tirade ne provoqua aucune réaction chez Higgins, qui l'informa n'avoir désormais aucun intérêt à poursuivre une telle carrière.

— J'ai eu cette ambition, monsieur, mais le temps m'a appris plusieurs leçons et l'une d'entre elles est que je ne suis pas fait pour enseigner ou faire de la recherche.

Puis il ajouta, sans gêne aucune, qu'il aurait quitté le collège Rickley et l'enseignement il y a longtemps, n'eût été le chèque de paie.

— Pour tout dire, monsieur, ma démarche aujourd'hui vise cet objectif.

Là-dessus, il lui fit part, très candidement encore, d'un projet personnel qu'il disait caresser depuis un moment : devenir l'associé de deux amis qui entendaient ouvrir un petit restaurant. La mise de fonds de chacun correspondait au montant qu'il avait inscrit sur le bout de papier.

Sir Paul hocha la tête d'incrédulité devant ses propos.

— Il va de soi, monsieur, reprit Higgins, que certains spécialistes diront que cela est peu vraisemblable, mais ne sommes-nous pas davantage concernés par ceux qui croiront que la note de votre oncle suggère qu'il n'a pas écrit *Young Alice*? Que la gloire, comme l'admet lui-même votre oncle, et les colossales sommes d'argent tirées de ses droits d'auteur l'empêchèrent, en fin de compte — comme ils en auraient empêché bien d'autres — d'avouer? Que les pages arrachées de son journal, qui correspondaient à cette période, ont aussi quelque chose à voir avec ceci?

— Elles furent retranchées, monsieur Higgins, objecta aussi calmement que possible sir Paul, parce qu'elles étaient trop scabreuses.

— Vous le supposez, monsieur, mais, en réalité, vous l'ignorez...

Le dignitaire l'ignorait en effet. Il ne faisait que répéter la raison avancée par son père. Jusqu'à la mort de ce dernier, il n'avait pas même jeté un œil aux archives de son oncle. Elles ne constituaient alors à ses yeux que de la paperasse pour laquelle il n'avait aucune curiosité. Il les avait pour la première fois examinées quand il avait eu cette idée de publication.

— Enfin, monsieur, ne croira-t-on pas que toute cette chasse aux papiers, aux lettres de Charles Feinstein, au lendemain de sa mort, visait non pas à reconstituer son patrimoine manuscrit, comme on le prétendait, mais plutôt à s'assurer que nulle part dans ces papiers il ne faisait allusion à cette fraude?

Muet, sir Paul Harrisson continuait de fixer son interlocuteur avec une espèce de curiosité étonnée, comme s'il avait cherché à prendre en compte les trois années qui s'étaient écoulées depuis la sortie de *Lettres et Pages de journal de Lewis Nunn*.

Pas de doute, le jeune homme quelque peu naïf et inexpérimenté qu'il connaissait alors avait changé. Et assurément pas pour le mieux.

9

Sir Paul Harrisson en imposait. D'abord du fait de sa parenté avec un personnage célèbre et de l'immense fortune que ce lien de descendance lui avait permis d'amasser, mais aussi à cause de sa générosité. Il s'était fait mécène et contribuait largement à de nombreuses campagnes de collecte de fonds, particulièrement celles concernant les arts et la culture. Pas tant, à la vérité, parce qu'il y trouvait un intérêt personnel — il était quasi inculte dans ces domaines — mais plutôt parce que l'art et la culture étaient apparentés à ses sources de revenus. Ce mécénat était, du reste, à l'origine de son titre honorifique.

Enfin, il en imposait encore par sa fermeté en affaires. Il avait appris à la bonne école : auprès de son père. Comme ce dernier, sir Paul veillait très scrupuleusement à ce que les redevances pour l'utilisation de *Young Alice* soient acquittées. Plusieurs dirigeants d'entreprise ayant cru se soustraire à cette obligation ou encore à l'obtention d'un accord de la Société des garants de Lewis Nunn pour l'exploitation de l'œuvre le regrettèrent amèrement lorsqu'ils reçurent, très inopinément, une assignation à comparaître en justice. Ils se retrouvaient ainsi devant un choix fort épineux : subir un procès perdu d'avance ou accepter une entente à l'amiable, laquelle tenait compte, outre les redevances, des frais de dépistage pour les démasquer et des frais judiciaires qu'avait nécessités l'établissement de la demande en justice.

Sir Paul Harrisson en imposait donc et n'entendait pas se laisser intimider par un petit maître chanteur. La cylindrée de Mark Higgins venait à peine de quitter la large allée carrossable bordée de tilleuls de son manoir qu'il téléphona à son avocat principal, William Muller. Celui-ci était chargé des questions juridiques de la Société des garants de Lewis Nunn depuis le début des années cinquante. Sous le coup de l'indignation, sir Paul se fit volubile au sujet de la tentative d'extorsion dont il venait d'être la victime. L'homme de loi l'écouta patiemment, posa quelques questions, puis lui fixa rendez-vous.

Aujourd'hui, lundi 13 mai, maître William Muller recevait sir Paul dans son imposant bureau, dont les murs lambrissés de panneaux de chêne et les volets toujours à demi fermés créaient une atmosphère propice aux entretiens confidentiels. Animé par un esprit de petite vengeance, l'héritier de Charles Feinstein recourut assez tôt à une formule qu'il avait faite sienne et que l'avocat avait entendue maintes fois auparavant de la bouche du premier président :

— Hum, quelles sont nos options, William ?

William Muller, jamais pressé de donner une opinion, se renversa un peu plus dans son fauteuil et marqua un temps. L'aîné des deux d'une dizaine d'années, il avait soixante-quatre ans mais paraissait la mi-cinquantaine. De son visage aux traits forts — un front haut et large, des sourcils épais, le menton carré — se dégageait une impression de dur à cuire. En réalité, il était la douceur même. Attentif, compatissant, il offrait une présence réconfortante à ses opulents clients, dont plusieurs occupaient des fonctions de prestige, venus lui exposer leurs problèmes. D'autres dans sa position auraient adopté une attitude plus flamboyante. Pas Muller. Il portait des costumes un peu défraîchis, conduisait une voiture vieille de huit ans et continuait à habiter le *town house* qu'il avait acquis à l'époque où il ne s'était pas encore fait une clientèle.

Bref, il était un homme simple, sans prétention, fidèle au milieu modeste dont il était issu.

— Je crains, sir Paul, commença-t-il de sa voix tranquille, en lui remettant son exemplaire de *Young Alice*, que nos options soient fort limitées. Je comprends que vous souhaitez le poursuivre pour avoir cherché à vous faire chanter — j'aurais moi-même ce premier réflexe — mais cela risquerait, à la vérité, d'être en vain et même potentiellement dommageable : ce serait accorder une notoriété indue à ce professeur auxiliaire et à l'hypothèse dont il s'est servi pour chercher à vous soutirer de l'argent... À propos, de quelle somme s'agit-il ?

— Dix mille livres sterling.

L'avocat laissa échapper un petit sifflement d'appréciation, puis reprit :

— Par ailleurs, vous n'avez même pas à prendre une action en justice pour le châtier. Vous n'auriez qu'un mot à dire à certaines personnes haut placées au collège Rickley et il ne resterait plus à monsieur Higgins qu'à faire ses boîtes. Entre se priver d'un fort généreux donateur comme vous et les services d'un professeur auxiliaire, le choix leur serait facile. Encore là, vous y perdriez au change, à mon humble avis : vous venger de Higgins risquerait de le provoquer, de l'inciter à donner à sa manœuvre une suite à laquelle il a peut-être, au moment où on se parle, déjà renoncé...

— Une suite ?

L'homme de loi eut un petit rictus au coin des lèvres. La suite envisagée risquait de déplaire à son client. William Muller n'était pas le plus éloquent des avocats, ni le plus brillant même, mais rares étaient ceux qui égalaient son esprit d'analyse. Il savait, mieux que quiconque, faire ressortir les tenants et les aboutissants d'une affaire.

— Je veux dire, par exemple : il pourrait chercher à se procurer les lettres pour lui-même — à défaut de le faire pour vous — puis avancer publiquement l'opinion d'une usurpation de droits d'auteur.

— Il peut toujours essayer, coupa l'héritier, mais sachez, William, que sa crédibilité à titre de chercheur, et cela de son propre aveu, est presque nulle. Sauf *Lettres et Pages de journal de Lewis Nunn*, je ne crois pas que son nom apparaisse sur aucune autre publication.

— Je veux bien, concéda très volontiers William Muller, mais ce qui importera sera la réaction des autres spécialistes. Si plusieurs d'entre eux, ou un seul d'entre eux mais qui fait autorité, la jugent crédible, cette découverte sera rendue publique.

— Mais pourquoi chercherait-il à se procurer les lettres ? s'étonna sir Paul.

— Ce qui intéresse monsieur Higgins est l'argent, n'est-ce pas ? Cette thèse aura le grand mérite de décupler, au bas mot, leur valeur marchande... et aussi, tout compte fait, celle du bouquin contenant les empreintes d'écriture. Il pourrait donc aussi, à bien y penser, tenter de se le procurer.

Voyant l'expression contrariée de son client à la suite de ses propos, l'avocat s'empressa d'enchaîner :

— Par ailleurs, personne ne pourra vous poursuivre en tant qu'héritier actuel de Lewis Nunn à partir de ce que tel ou tel spécialiste peut penser de ce qu'aurait pu être la teneur de tel et tel documents dont on a perdu la trace. Cela est par trop hypothétique et les cours de justice considéreront toute demande en ce sens irrecevable.

Voilà que sir Paul Harrisson devait presque se réjouir de ne pas faire l'objet d'une poursuite, alors qu'il était venu en engager une contre Higgins.

— Le fait que monsieur Higgins ait reconnu, dit encore l'avocat, que certains spécialistes jugeront cette hypothèse peu vraisemblable indique assez clairement qu'il reconnaît que tout ceci sera une affaire d'interprétation, un débat entre universitaires. Par ailleurs, il estime sûrement ces documents détruits ou introuvables. Parce que, bien sûr, la raison même de débattre émane du fait qu'ils soient disparus et qu'on ignore leur contenu.

L'avocat fit une pause, puis eut cette observation :

— S'il ne le pensait pas, il n'aurait pas cherché à vous soutirer ce montant.

Sur la base d'archives d'auteurs ayant une même notoriété et ayant déjà fait l'objet d'une vente chez Christie's, maître Muller prédit que les enchères pourraient facilement atteindre dix mille livres sterling, beaucoup plus même, eu égard au fait que les circonstances extraordinaires entourant les documents favoriseraient la surenchère. « Ce Higgins » n'aurait donc pas initié une démarche aussi téméraire et risquée que le chantage s'il ne les considérait pas comme introuvables.

— Quelles sont nos options, me demandez-vous ? Eh bien, dans un cas comme dans l'autre, sir Paul, il n'y aurait pas lieu d'en avoir.

Le dignitaire considéra son avocat avec un air d'irritation à peine contenu.

— Je veux bien renoncer à poursuivre si Higgins ne donne pas suite à sa manœuvre, William, concéda-t-il, mais pas dans le cas contraire. Pas si la chose devient publique. Pas s'il y a débat. Parce que, si je vous ai compris, il y aura alors atteinte à la réputation de mon oncle à partir de rien du tout ou presque. À partir de simples interprétations du sens d'un mot pour chercher à deviner la teneur d'un document disparu. Toutes démonstrations qu'une cour de justice ne pourra pas reconnaître comme preuve, m'avez-vous dit ?

L'avocat Muller, dont le visage était un livre ouvert, eut une autre expression embarrassée. Une fois encore, il allait devoir déplaire à son client.

— Nous parlons ici, sir Paul, observa-t-il posément, du délit de diffamation...

— Oui. Et je crois savoir, William, que l'allégation, pour être punissable, n'a pas à être directe et affirmative. Je ne doute pas que ces universitaires se montreraient circonspects dans leurs propos, mais une simple insinuation est suffisante pour qu'il y ait délit, n'est-ce pas ?

— C'est juste... et pour être franc avec vous, sir Paul, j'ai soupçonné que vous souhaiteriez entreprendre une telle action après votre coup de fil. J'ai alors pris la peine de consulter l'un de mes associés... Vous permettez que je le fasse venir ? Son nom est Christopher Shapiro et il expliquera la chose beaucoup mieux que je ne saurais le faire. Dans ce cas très particulier, une telle action, ai-je cru comprendre, serait... Mais, nous verrons.

Il pressa le bouton d'interphone.

— Ann, pourriez-vous demander à maître Shapiro de venir, s'il vous plaît ?

Quelques minutes plus tard, Christopher Shapiro les rejoignait. À l'image de sa nature un peu austère, il était généralement vêtu d'un complet noir et c'était le cas aujourd'hui.

Après avoir été présenté à sir Paul Harrisson et reçu le signal de s'exécuter, l'associé commença d'abord par corroborer ce qu'avait supposé le dignitaire. Oui, en effet, l'imputation portée contre un écrivain de ne pas être l'auteur du livre qui l'a rendu célèbre est diffamatoire et punie par la loi. Et, oui, il n'est pas nécessaire que cela soit dit de façon non équivoque. Une simple insinuation, dans la mesure où elle est prononcée publiquement, est suffisante pour faire l'objet d'une action en diffamation.

Une fois ce point de loi énoncé, maître Shapiro souligna une exception à la règle générale :

— Ici, monsieur, la diffamation est dirigée contre la mémoire d'un mort et il faut alors tenir compte de l'immunité que la jurisprudence accorde à l'historien.

— L'immunité ? s'étonna sir Paul.

— Oui, monsieur.

Sur le plan juridique, la mort marquait le terme de la personnalité et les droits qui y étaient rattachés devaient dans le principe disparaître avec elle. Ce n'était pas dire pour autant qu'une sanction contre une atteinte à l'honneur et à la considération d'une personne décédée était impossible, mais cette protection n'était assurée que de manière très restrictive. En discutant d'un personnage historique comme son oncle, ces spécialistes en littérature seraient assimilés aux historiens et se verraient couverts par la même immunité professionnelle.

L'avocat Shapiro demanda à emprunter l'exemplaire du code pénal de l'avocat Muller.

— À cet égard, la loi est très claire, monsieur, remarqua-t-il, comme on lui remettait le livre qu'il venait de réclamer.

Il trouva rapidement l'article de loi traitant des atteintes posthumes et lut le passage suivant :

« L'imputation ou l'allégation d'un fait de nature à déshonorer la mémoire d'une personne décédée ne constitue un délit de diffamation que si elle a été publiée... avec l'intention spécifiée de porter atteinte à la considération de ses héritiers, époux ou légataires universels vivants. »

Maître Shapiro leva les yeux vers sir Paul.

— En d'autres mots, monsieur, il faudrait prouver que ces universitaires, en avançant l'hypothèse que votre oncle n'aurait pas écrit *Young Alice*, auraient délibérément cherché à vous nuire.

— Hum, voilà l'aspect gênant auquel je faisais allusion, sir Paul, commenta William Muller, avec une moue de fatalité.

— Mais ne serait-ce pas un fait d'évidence, William ? protesta son client. Il me semble qu'on pourrait prouver que ma décision de détruire les archives de mon oncle aurait motivé chez eux une telle intention malveillante ? Tous ces spécialistes sur Feinstein me connaissent de nom et connaissent les mesures que j'ai prises, lesquelles les ont tous horripilés.

Ce fut au tour de William Muller d'avoir une réaction d'étonnement. Il n'avait manifestement pas envisagé une telle présomption contre ces chercheurs pour établir l'intention coupable spécifiée.

— Christopher ? fit-il, après un moment.

L'associé eut un imperceptible haussement d'épaules, puis observa :

— Eh bien, je suppose qu'un juge serait alors curieux d'entendre les parties.

— Cette fausse rumeur nous a déjà suffisamment minés, mon père et moi, William, renchérit sir Paul. Cette fois, j'entends traîner devant les tribunaux toute personne qui lui donnera publiquement créance. Je ne me soucierai pas des frais que cela occasionnera. Il n'y aura pas de bas calcul de ma part.

— Ma foi, le cas échéant, si un juge veut nous entendre, reconnut volontiers Muller, nous allons plaider.

Sur ces mots, l'avocat remercia son associé.

— Il est un spécialiste en matière de diffamation, confia-t-il, une fois que maître Shapiro les eut laissés. On ne peut guère trouver meilleur procureur.

Un moment plus tard, tout en raccompagnant son client, il demanda :

— À propos, sir Paul, comment ce Higgins s'explique-t-il que votre père ne les ait pas recouvrées, les lettres à cet imprimeur ?

Le dignitaire lui donna la raison que le jeune rouquin lui avait fournie. Monsieur Seltz avait d'abord jeté les lettres, lesquelles avaient été plus tard récupérées à son insu. Quand son père alla le rencontrer pour les lui acheter, l'imprimeur avait dû l'informer qu'il s'en était débarrassé.

William Muller eut un moment de réflexion à part lui, puis observa, comme son client et lui s'étaient arrêtés devant la porte du bureau :

— Les autres registres de son journal, vous ne les avez pas même ouverts ?

Sir Paul Harrisson répondit par la négative.

— Vous ignorez donc la date de la dernière entrée de son journal ?

— Vous supposez que mon oncle aurait pu cesser de le tenir avant l'envoi des lettres à ce monsieur Seltz ?

— Oui. Ce qui aurait fait que votre père n'aurait pu prendre connaissance de leur existence, comme de raison, et se rendre voir cet imprimeur.

— Peut-être, mais si mon oncle était alors en mesure d'écrire des lettres, William, et toujours d'une main ferme comme j'ai pu le constater, il était aussi en mesure d'écrire dans son journal, non ? Après tout, il le tenait scrupuleusement.

— ... Sans doute, oui, finit par admettre l'avocat, songeur.

Sur ce, il lui tendit la main et dit :

— Je vais surveiller cette affaire de très près, sir Paul.

10

La remarque avait frappé William Muller au point qu'il s'en souvenait mot pour mot :

« Peut-être, mais si mon oncle était alors en mesure d'écrire des lettres, William, et toujours d'une main ferme comme j'ai pu le constater, il était aussi en mesure d'écrire dans son journal, non ? Après tout, il le tenait scrupuleusement. »

— Il avait déjà la main sur le bouton de la porte, il s'apprêtait à quitter mon bureau. Je l'ai laissé partir en lui promettant de surveiller de très près cette affaire...

Le conseiller juridique de la Société des garants de Lewis Nunn fixa sa femme d'un drôle d'air, à la fois grave et perplexe. Ils étaient dans la salle à manger, terminant leur repas. Helena Muller avait compris qu'une chose préoccupait son mari dès le début de la soirée, mais avait attendu avant de chercher à en connaître la raison. Son mari s'était d'abord montré hésitant, disant ne pas vouloir l'« ennuyer avec ça » et prétextant qu'il s'agissait vraisemblablement d'une fausse appréhension, du seul fruit de son imagination, mais devant son insistance il avait commencé à ouvrir son sac.

— Dois-je comprendre quelque chose, William ?

— Assurément non, admit-il volontiers, si je ne te fais d'abord part d'une des habitudes de Feinstein et aussi d'une confidence en ce qui la concerne, que m'avait faite à l'époque Julius Harrisson. Voilà : Charles Feinstein indiquait toujours dans ses registres les lettres qu'il envoyait : le nom du destinataire, la date d'expédition, le sujet abordé... Après sa mort, monsieur Harrisson utilisa ces informations pour recouvrer celles-ci. Ma relation avec le père de sir Paul n'a jamais été familière ou amicale, mais elle dura dix ans et, à plusieurs occasions, nous avons eu des échanges officieux. Au cours de l'un de ceux-ci, curieux au sujet de cette récupération, je lui ai demandé si elle avait été fructueuse.

William Muller eut un haussement de sourcils éloquent : cette récupération avait été très, très fructueuse.

— Je me souviens encore du scintillement de fierté dans son regard. Il avait réussi à recouvrer « toutes » les lettres. « Sans exception. » Ce sont ses propres mots. Toutes les lettres... mais pas celles à cet imprimeur Seltz, cependant.

— Comment se fait-il ?

Le front de William Muller se plissa un tant soit peu. C'était précisément la question, disait-il, qui le rendait soucieux. Puis, sans plus, il enchaîna avec cet autre élément :

— Par ailleurs, quand j'ai demandé à sir Paul comment Higgins expliquait le fait que Julius Harrisson n'avait pas récupéré les lettres à l'imprimeur, sa réponse m'a fait comprendre que son père n'avait pas daigné lui faire la même confidence qu'à moi. Selon lui — en fait, selon Higgins, mais cela revient au même —, Seltz aurait affirmé à Julius Harrisson s'en être débarrassé à tout jamais. Je n'ai pas jugé à propos de corriger la méprise de sir Paul. Cet homme est susceptible et il a toujours eu le sentiment d'avoir été tenu, du temps de son père, à l'écart des affaires de la Société. Je ne voulais pas exacerber ce sentiment. Je lui ai plutôt fait part, enfin, plus exactement, suggéré la seule explication possible : Charles Feinstein avait dû cesser d'écrire dans son journal avant l'envoi de cette première lettre à l'imprimeur Seltz, en mars 1927. Julius Harrisson ne s'était donc pas rendu chez cet imprimeur, car la consultation des registres ne lui permettait pas de savoir que son demi-frère les avait écrites. C'est à ce moment que sir Paul, qui ignorait la date de la dernière entrée au journal, m'a fait la remarque...

Il exhala un profond soupir :

— Maintenant, je ne sais plus au juste qui se méprend, Helena... Feinstein écrivait d'abord et surtout dans son journal. Si sir Paul a vu juste, si son oncle a écrit en dernier dans ses registres, comment alors expliquer qu'il n'a pas mentionné les lettres à ce monsieur Seltz, sinon peut-être...

— Oui ?

— Comme j'ai dit, se reprit-il, c'est une simple appréhension de ma part.

— Sinon, peut-être quoi, William ?

Il en avait trop dit pour désormais s'arrêter. Après un temps, il finit par répondre :

— Sinon, peut-être qu'il ne les aurait pas écrites.

— Pas écrites ?

— Oui. C'est-à-dire : ces lettres ne seraient pas authentiques...

Le mardi 14 mai, en après-midi, Peter Thornhill fut informé de la présence d'un visiteur inattendu à la porte de son bureau : David O'Connor. Le directeur le fit entrer. Le concierge du collège venait lui annoncer qu'on lui avait offert une somme assez rondelette pour son vieux livre de *Young Alice*. (Il ne lui en précisa pas le montant, mais il s'agissait seulement de quinze livres sterling.) Le directeur fut étonné de l'apprendre, et davantage encore lorsque son employé lui mentionna que l'offre provenait de Mark Spencer Higgins.

— Je lui ai dit que j'y réfléchirais, remarqua obligeamment monsieur O'Connor, mais, à l'évidence, sa décision était prise.

Peter Thornhill comprit soudain que d'autres considérations que la simple vérité scientifique entouraient sa découverte. L'exemplaire appartenait au concierge et, depuis deux semaines, par son ascendant sur le pauvre homme, il se l'était approprié et avait limité la liberté du concierge d'en disposer à sa guise.

Il eut la bonne réaction :

— J'ignore de quel montant il s'agit, monsieur O'Connor, et pour être franc avec vous je ne désire pas le savoir. Comme je vous l'ai dit à maintes reprises, vous êtes le seul propriétaire de cette édition si particulière et tout avantage pécuniaire ou autre vous revient de plein droit. Je vous rends le livre dès que vous désirez le reprendre. Mais, mon cher O'Connor, permettez que je vous donne un conseil tout à fait impartial.

Le directeur marqua un temps pour revêtir son exhortation d'un caractère de gravité.

— Attendez.

— Monsieur ?

— Attendez. Attendez avant de le vendre à quiconque. En ce moment, nous ne connaissons pas sa véritable valeur. Ce qu'on vous a offert peut représenter une fraction seulement de ce que vous pourriez obtenir plus tard. Je rencontre dès après-demain un second expert sur Feinstein et on aura alors une plus juste idée de la véritable valeur de votre exemplaire.

— Un second expert ?

— Oui.

— Mais... pourquoi, monsieur ? Vous doutez de l'opinion du premier ?

— Oui. De son opinion, monsieur O'Connor, de sa crédibilité et, à la suite de sa démarche auprès de vous, de sa probité. Il aurait pu avoir au moins la décence de m'en aviser au préalable, ne trouvez-vous pas ?

Le concierge s'abstint de répondre et Peter Thornhill, qui semblait sur le point de rejeter quelque rancœur sur le dos de Higgins, retrouva vite son calme.

— Je constate, monsieur O'Connor, que je vous ai laissé dans l'ignorance de mes initiatives au sujet de cette histoire. Veuillez m'en excuser. En un sens, elles vous concernent plus directement, car vous en êtes l'origine. Vous avez trouvé le bout de la ficelle et, moi, je cherche à la faire se dérouler dans le bon sens. Laissez-moi réparer cet état de choses.

Là-dessus, le directeur fit part au concierge du détail de l'opinion émise par l'éditeur de *Lettres et Pages de journal de Lewis Nunn*.

— Par la suite, voyez-vous, j'ai tenu à m'assurer de la véracité des accusations d'attentat à la pudeur dont Charles Feinstein avait supposément fait l'objet entre 1891 et 1894.

Les documents portant sur Charles Feinstein — Lewis Nunn — disponibles à la bibliothèque du collège lui avaient confirmé que l'écrivain avait effectivement subi de telles accusations durant la période où il avait été enseignant au primaire. Mais le directeur n'avait pas arrêté là sa vérification.

— En m'intéressant à des périodes ultérieures de sa vie, j'ai réalisé que non seulement ces plaintes n'avaient jamais cessé et que, de tout temps, Charles Feinstein en avait été l'objet, mais encore que son comportement déviant, au fil des ans, était presque devenu, selon certains auteurs, de notoriété publique.

Cette information l'avait laissé « fort perplexe », disait le directeur.

— Au post-scriptum du mot trouvé au dos de la page couleur de votre exemplaire, monsieur O'Connor, Feinstein présente les cahiers d'écolier comme une preuve de la véracité de la teneur de sa déclaration : « au cas où on ne me croirait pas ». Ce post-scriptum, il l'a écrit à la fin de sa vie, c'est-à-dire alors que plus personne ne doutait, semble-t-il, qu'il fût attiré sexuellement par les fillettes.

Le directeur avoua avoir alors maugréé intérieurement contre Mark Higgins : pourquoi n'avait-il pas émis, en toute honnêteté, une telle objection à l'encontre de l'opinion d'une agression sexuelle ?

— Ce jour-là, j'ai cherché à joindre Higgins au téléphone. En vain. La réceptionniste du collège Rickley m'a informé qu'il avait déjà quitté l'institution pour la journée. J'ai décliné l'invitation de laisser un message et répondu que je rappellerais. Et c'est ce que j'aurais fait si, le lendemain en matinée, dans le cadre d'une réunion semestrielle des directeurs de collège, je n'avais rencontré monsieur Thomas Pyles, directeur à Rickley.

Au cours de leur conversation, il avait cherché discrètement à se renseigner sur Higgins, membre du personnel enseignant de monsieur Pyles. Le visage de ce dernier, jusque-là débonnaire, s'était plissé alors comme sous l'effet d'un léger désagrément. Il avait émis un seul commentaire, formulé sur un ton sec et qui avait découragé Peter Thornhill de poursuivre sur le même sujet.

— Il m'a fait comprendre qu'au collège Rickley il fallait gagner ses galons au mérite, par un long travail de recherches et de publications et non à la suite d'un seul coup d'éclat, aussi spectaculaire soit-il.

Les réserves antérieures relatives à l'inexpérience et au modeste statut professionnel de Higgins s'étaient alors faites plus vivaces que jamais dans son esprit, renforçant de surcroît ce discrédit dont le jeune professeur auxiliaire était l'objet à Rickley. Et tout en continuant à converser avec monsieur Pyles sur le sujet fort sérieux de la qualité de l'enseignement collégial, il avait alors résolu de ne pas lui donner ce coup de fil après tout.

— J'ai plutôt décidé d'obtenir l'avis d'un autre expert. Un professeur titulaire, me promis-je, d'un âge respectable et jouissant d'une autorité faisant l'unanimité chez ses pairs. Voilà. Je l'ai trouvé et j'ai rendez-vous avec lui ce jeudi. Et je souhaiterais lui présenter votre exemplaire, monsieur O'Connor.

Le concierge hocha la tête en acquiesçant. Il permettait à son directeur de le conserver pour un temps encore, ce d'autant que sa valeur — c'est ce qui l'avait surtout frappé — pourrait croître.

David O'Connor avait à peine quitté son bureau que Peter Thornhill, seul avec lui-même et toujours un peu sous le coup de la nouvelle annoncée par le concierge, fut saisi d'un pressentiment désagréable. Il décrocha le combiné de son téléphone, forma un numéro.

— Monsieur Gardiner? Peter Thornhill...

Le changement subit du ton de la voix de l'ancien relieur lui fit comprendre qu'il était probablement trop tard. Pas très finement, monsieur Gardiner voulut d'abord s'assurer qu'il se rappelait bien son interlocuteur, puis, lorsque ce dernier lui demanda s'il pouvait de nouveau emprunter les originaux des lettres de Feinstein à Seltz, il y eut un silence à l'autre bout du fil.

Son pressentiment fut confirmé un instant plus tard.

— Cela ne sera pas possible, monsieur Thornhill, parce que je les ai vendus.

L'ex-employé d'imprimerie entendit très clairement l'interjection que le directeur échappa. Il confirma à ce dernier les avoir cédés à Mark Spencer Higgins.

— Il m'en a offert cinquante livres sterling et j'ai accepté.

James Gardiner expliqua qu'il recevait un maigre revenu de retraite lui permettant à peine de joindre les deux bouts. Cette somme allait payer, disait-il, le billet d'autocar aller et retour jusqu'à Chichester, où habitait sa sœur.

— Ce sera peut-être ma dernière occasion de la visiter, vous savez.

Puis, après avoir mentionné encore que les lettres de Feinstein n'avaient jamais représenté pour lui qu'une curiosité dont il s'était, au fil des ans, désintéressé — au point de les avoir oubliées jusqu'à ce qu'il reçoive l'appel téléphonique du bibliothécaire Frederic Sheldon —, il s'empressa de raccrocher.

Peter Thornhill n'avait pas placé plus de trois mots. Un peu médusé par cette brusque fin de conversation, il fixa le récepteur du téléphone, momentanément sourd à la tonalité qui avait commencé à se faire entendre.

11

Du temps où il plaidait dans les cours de justice, on disait de William Muller qu'il ne se consacrait pas tant à la défense d'un client qu'à celle de la vérité. L'avocat jouissait auprès de ses pairs et, malheureusement pour ces derniers, auprès des juges aussi d'une réputation de probité absolue. Personne dans la profession ne doutait un instant que le choix des causes qu'il acceptait de plaider était basé sur sa conviction profonde et intime qu'elles étaient justes. D'où son surnom de « cardinal ». Un homme de rigueur et de conviction, disait-on, au-dessus de la mêlée, des grenouillages, des manœuvres de coulisse qui sont généralement le lot des hommes de loi.

Cela dit, William Muller n'était pas un saint. Ainsi, comme plusieurs de ses confrères, il avait parfois recours, pour retrouver un témoin ou une preuve quelconque, à un détective dont il se gardait de connaître les moyens employés pour mener à bien sa mission. Avait-il été nécessaire au privé de transgresser certains règlements, voire certaines lois, pour obtenir tel document, tel témoignage ? Maître Muller ne désirait pas le savoir. Après tout, une petite infraction pouvait être commise si c'était la seule façon d'en corriger une plus grande.

Quand il s'était mis à la recherche d'un tel collaborateur, l'avocat s'était retenu de demander des avis. S'il fallait établir avec ce détective une relation confidentielle, raisonna-t-il assez justement, celui-ci ne devait pas être connu des gens de sa profession. C'est donc en consultant un annuaire professionnel qu'il avait trouvé la petite agence de Donald Blair, bien qu'il ne l'eût pas choisie tout à fait au hasard. Il avait porté son choix sur elle parce qu'elle était située hors des grands centres, dans un secteur commercial plutôt tranquille, et parce qu'elle ne cherchait pas à se distinguer de la concurrence par un encadré ou une police de caractères excentrique. Bref, une entreprise banale et commune, ce qui la rendait anonyme.

En ce mercredi 15 mai, l'avocat reçut l'appel qu'il attendait de Donald Blair. Le résultat de son investigation tenait en deux phrases :

— L'imprimerie Seltz Brothers and Others appartenait à trois frères, monsieur, et aucun d'eux n'est vivant aujourd'hui. Le commerce a fermé ses portes en 1948, à la suite de la mort du dernier des propriétaires.

— ... Bien, merci, monsieur Blair, fit maître Muller au bout du fil. Vous avez été, comme toujours, fort diligent.

Une fois rentré chez lui ce soir-là, William Muller fit part à sa femme de la mort du dernier des frères Seltz. C'est elle qui avait suggéré à son mari de se renseigner auprès du destinaire des lettres de Feinstein, dans l'espoir qu'il puisse se rappeler l'adresse de leur expéditeur. L'imprimeur n'avait-il pas répondu à la première missive de Feinstein, puis ne lui avait-il pas fait parvenir, à deux reprises, les exemplaires spéciaux commandés ? Sans nécessairement pouvoir se rappeler qu'il s'agissait du 51, Old Sandwich Road, Lowestoft, Suffolk County, qui était l'adresse de la maison de campagne de Charles Feinstein, peut-être pourrait-il à tout le moins se souvenir s'il s'agissait d'une adresse courante, avec un numéro de résidence et un nom de rue, plutôt que d'une simple case postale. Dans le cas d'une supercherie, avait fait valoir l'épouse de l'avocat, ces exemplaires auraient été envoyés à une telle adresse anonyme, le faussaire n'ayant pas demandé, comme de raison, pour qu'ils soient expédiés à son adresse personnelle.

Et si les lettres à l'imprimeur étaient inauthentiques, comme le croyait plausible William Muller, tout le reste était aussi une supercherie : la devinette, la déclaration, les cahiers. En conséquence, il fallait aussi supposer que l'escroc aurait expédié anonymement à Charles Feinstein le numéro IV, trouvé des années plus tard par sir

Paul Harrisson sur les rayonnages de sa bibliothèque. (Le dignitaire avait présumé que son père s'était départi des autres, n'étant pas homme à s'embarrasser d'objets en surnombre ; dans le cas d'une machination, cependant, l'envoi de l'exemplaire aurait visé à laisser croire que l'écrivain avait commandé l'ensemble des numéros.) Par ailleurs, celui ou celle derrière une telle entreprise ne se serait pas donné tout le mal de forger ces documents uniquement pour révéler le penchant déjà connu de l'écrivain pour les toutes jeunes filles. Cela ne pouvait concerner, selon l'avocat, que la paternité littéraire de *Young Alice*.

Une telle machination, en 1927, n'était pas du tout invraisemblable, devait-il admettre. La rumeur voulant que Charles Feinstein ne soit pas l'auteur de *Young Alice* n'avait toujours pas été démentie, loin de là. Puis les médecins ne lui donnaient que six mois à vivre. Les journaux avaient fait mention de plusieurs attaques d'emphysème pulmonaire assez graves. Alors, pour assurer le salut de son âme, lui qui avait été élevé selon la stricte morale religieuse, quelle plus grande rédemption que de le faire avouer sur son lit de mort, en imitant son écriture, que la rumeur était bel et bien fondée ? Il n'était pas l'auteur de *Young Alice* et un autre l'avait écrit à sa place ?

En d'autres circonstances, et si William Muller n'avait pas été amené à s'expliquer différemment la disparition des documents — il croyait qu'ils n'avaient pas été détruits et restaient à découvrir —, cette hypothétique machination, vieille de plus de trente-cinq ans, quoique fâcheuse, déplorable et cause éventuelle d'un imbroglio juridique, n'aurait pas provoqué chez lui l'expression d'inquiétude qu'avait remarquée sa femme. Il était suffisamment informé sur l'expertise en écriture, le moyen le plus usuel et éprouvé de démasquer une contrefaçon manuscrite, pour savoir qu'on aurait facilement éventé une telle supercherie. Il n'aurait pas fait appel au détective privé Blair pour infirmer ou confirmer celle-ci. Du moins, pas à ce stade ; il aurait plutôt attendu la suite des événements.

Aujourd'hui, cependant, les circonstances étaient autres.

12

Les originaux des lettres à l'imprimeur furent ce que le second expert contacté par Peter Thornhill, le professeur titulaire George Connelly de l'université de Birmingham, spécialiste en littérature anglaise du XIXe siècle et auteur de nombreuses études sur l'œuvre de Lewis Nunn, demanda d'abord à voir.

Le directeur du collège Duffin eut une moue de dépit, puis dit, un peu penaud :

— Comme je vous en ai informé, ce dossier contenant les agrandissements et les retranscriptions, auxquels j'ai joint des reproductions des lettres, fut d'abord préparé à l'intention du premier spécialiste que j'ai consulté. L'éditeur de *Lettres et Pages de journal de Lewis Nunn*, Mark Spencer Higgins...

Le chercheur, une caricature vivante du petit monsieur à barbiche, à lunettes et à pipe, opina du bonnet, sans plus. Il jugeait manifestement qu'il n'y avait pas lieu de s'attarder sur lui, ne tenant pas en grande estime l'éditeur de cet ouvrage, dont il reconnaissait cependant, malgré son état incomplet, l'importance.

— Il est désormais propriétaire des originaux. J'ai tenté à de nombreuses reprises de communiquer avec lui, mais en vain. Il n'a toujours pas rappelé.

Le professeur Connelly afficha un air de dépit et retira de sa bouche le tuyau de sa pipe. Il ne la fumait plus depuis des semaines, mais il était encore incapable de s'en départir tant la longue habitude qu'il avait de tenir cet objet entre ses dents était tenace.

— Eh bien ! eh bien ! fit-il, c'est fâcheux. J'espérais, en vous recevant aujourd'hui, voir enfin un autographe de Feinstein.

— Vous n'en avez jamais vous-même examiné ?

— J'ai eu l'occasion de voir des échantillons de sa signature, répondit le professeur, et aussi quelques mots sans grande signification, comme le nom d'une société ou des chiffres écrits en lettres sur un chèque, mais des textes un peu substantiels comme ces missives que vous avez eu la chance de consulter ? Jamais. Pas plus moi que tous mes confrères, d'ailleurs.

George Connelly expliqua cette étrange anomalie par le fait qu'il n'y avait eu, à l'origine, que peu ou pas d'intérêt pour Lewis Nunn. *Young Alice* n'était qu'un livre à succès (à très grand succès soit, mais sans plus) et n'intéressait pas les universitaires. Ce n'est que plus tard, avec l'avènement de la nouvelle critique littéraire — psychoanalytique, entre autres —, que de nombreux chercheurs, dont lui-même, commencèrent à se pencher sur la richesse des symboles contenus dans ce conte.

— À cette époque, fit-il avec regret, il était déjà trop tard pour espérer consulter ses archives. Son légataire d'alors, Julius Harrisson, qui avait même racheté tous les documents qui manquaient, déclarait qu'elles étaient strictement privées.

George Connelly soupira.

— Je comprends qu'il n'ait pu résister à se les procurer. J'aurais sans doute fait de même.

— Mark Higgins aurait fait l'acquisition des lettres dans le but de les insérer dans une prochaine édition de son livre sur Feinstein ?

Peter Thornhill supposait cette raison, la plus excusable à ses yeux.

— Je ne crois pas, dit le professeur Connelly. D'autant que la décision de publier une nouvelle édition revient à l'actuel légataire testamentaire de Charles Feinstein. Higgins ne saurait l'influencer en ce sens. Leur association a pris fin avec la parution de *Lettres et Pages de journal de Lewis Nunn*; et sur une note plutôt discordante. Je ne pense pas qu'ils se soient jamais reparlé depuis. En outre, aucune réédition n'était prévue à l'origine (seulement des réimpressions) et je vois mal pourquoi le légataire changerait d'avis, après son geste.

— Quel geste? s'enquit Peter Thornhill, comme l'autre venait de nouveau de tirer sur sa pipe.

— Je veux parler de la destruction des archives.

— La destruction des archives, professeur? répéta le directeur, dont l'étonnement l'avait fait détacher chacune des syllabes du mot *destruction*.

— Oui. Vous n'êtes pas au courant? Il y a un peu moins de trois ans de cela, sir Paul Harrisson a procédé... à leur incinération.

Le chercheur secoua la tête d'incrédulité devant ce qui était pour lui un véritable sacrilège.

— Que je vous montre! s'exclama-t-il.

Il se leva, alla ouvrir un tiroir de son gros classeur métallique, fit courir ses doigts sur les chemises qu'il contenait, s'arrêta sur l'une d'elles et en extirpa une feuille de papier.

Revenant vers son bureau, il la tendit à Peter Thornhill.

— La lecture de ce document, je peux vous l'avouer, a provoqué chez moi et chez nombre de mes pairs un serrement de cœur.

Le professeur esquissa un sourire de dérision pour atténuer le caractère émotif de son aveu sincère.

Peter Thornhill lut le document en question, lequel portait, juste sous l'en-tête «William Muller et Associés, avocats», la mention «copie conforme à l'original». Daté du 4 janvier 1961, il était adressé «à qui de droit» et stipulait que, conformément à la demande écrite de sir Paul Harrisson, légataire universel de Charles Lutwidge Feinstein, les archives de ce dernier, dont maître Muller était jusqu'alors dépositaire, avaient été détruites par le feu. Il s'agissait des lettres de l'auteur, des registres de son journal et des manuscrits de ses œuvres, «... à savoir: les contes *Young Alice* et *Black Sheep* et les recueils de poèmes *Childish Poetry*, *Blueberry Days* et *In the Eye of the Hurricane*». Enfin, il était précisé que c'était la firme Hawkins and Co. de Londres qui avait procédé à l'incinération, en présence des trois personnes dont le nom et la signature apparaissaient au bas de la page.

— Pourquoi a-t-il fait une telle chose?

— Apparemment pour mettre fin aux demandes de consultation des archives, expliqua le professeur Connelly. Higgins n'a d'autant pu résister à faire l'acquisition des lettres de Feinstein à l'imprimeur Seltz, réitéra-t-il, que les occasions d'entrer en possession d'un texte écrit de sa main sont presque nulles.

Peter Thornhill s'excusa de nouveau de ne pouvoir présenter les lettres originales, puis, comme il s'apprêtait à fournir les coordonnées de leur actuel propriétaire, le professeur Connelly interjeta :

— S'il est toujours à Rickley, je sais comment le joindre.

Il expliqua qu'il avait déjà rencontré Higgins à la suite de la publication de *Lettres et Pages de journal de Lewis Nunn*; et, avec un sourire en coin, il ajouta que cette rencontre n'avait pas été « des plus mémorables ».

— Occupe-t-il toujours ce même minuscule bureau voisin du corridor principal du rez-de-chaussée ? s'enquit-il.

— Oui.

Le professeur secoua la tête, l'air railleur.

— Je suppose que le brillant avenir que sir Paul Harrisson lui prédisait tarde à se matérialiser ?

Peter Thornhill, sobrement, s'abstint de lui faire part du commentaire que lui avait fait le supérieur de Higgins, monsieur Pyles, lequel commentaire corroborait un tel jugement.

— Ne soyez pas si désolé, monsieur Thornhill, enchaîna le chercheur, car j'aurais eu à faire ce déplacement jusqu'à Rickley même si les lettres n'avaient pas été en sa possession. Par son expertise unique des archives de Charles Feinstein, Higgins est celui le plus à même de confirmer leur authenticité. Je ne doute pas que ce soit le cas puisqu'il les a achetées, mais je me dois malgré tout d'obtenir une confirmation écrite formelle, vous comprenez ?

À défaut de voir les originaux des lettres, le chercheur de l'université de Birmingham put à tout le moins examiner le livre de monsieur O'Connor, que Peter Thornhill avait apporté avec lui. Il jeta un regard à la couverture, ouvrit le livre au hasard, fit défiler des pages d'une pression du pouce exercée sur la frange des feuillets, puis retourna à la page de faux titre et examina les empreintes rehaussées à la mine de plomb. Ayant déjà pris connaissance de celles-ci par les retranscriptions contenues dans le dossier que lui avait fait parvenir

Peter Thornhill, il se dit en accord avec l'interprétation qu'en avait fait son visiteur, interprétation qu'avait d'ailleurs confirmée Higgins : il s'agissait bien d'une devinette dont l'exacte teneur importait peu.

Puis, il passa aux empreintes inversées du contreplat, dont il avait aussi préalablement pris connaissance, et il les examina à l'aide d'un miroir. Il ne consacra à cet examen que deux ou trois minutes.

— Alors, professeur ?

Le petit homme se renversa dans son fauteuil et eut d'abord ce commentaire, marqué au coin d'un certain amusement :

— Eh bien, disons, monsieur Thornhill, qu'il serait tentant pour plusieurs de mes collègues, à la seule lecture de ce mot, d'imaginer un tout autre aveu que celui dont vous a parlé Higgins. En partie, d'ailleurs, pour la raison qui vous a fait me consulter. Son penchant pour les fillettes était, de son vivant, su d'un grand nombre, quoiqu'il n'était pas de notoriété publique comme certains le prétendent exagérément. Alors, comment aurait-il pu penser en 1927 qu'on douterait que ce fut le cas ?

Le professeur afficha une expression d'étonnement qui n'était pas tant la sienne, aurait-on dit, que celle qu'il prêtait à son visiteur ou aux autres chercheurs auxquels il venait de faire allusion.

— Mais... ce tout autre aveu, quel serait-il ?

— Celui de ne pas être le véritable auteur de *Young Alice* ! N'avez-vous jamais entendu parler de cette rumeur ?

Si Peter Thornhill en avait entendu parler, il ne le laissa pas voir, exhibant plutôt en ce moment un air quelque peu interdit.

— Elle est presque aussi vieille que le conte lui-même. Elle a pour origine le fait que Feinstein fut incapable, dans ses œuvres subséquentes, d'atteindre à nouveau un tel sommet.

Autant *Young Alice* avait été accueilli chaleureusement par la critique et le grand public, expliqua le professeur Connelly, autant sa deuxième œuvre, le recueil de poèmes *Childish Poetry*, fut reçue par un froid silence.

— À l'époque, personne n'y avait trop porté attention, la disparité entre les deux écrits pouvant s'expliquer par le fait qu'ils appartenaient à des genres littéraires différents. Mais ce fut une autre histoire quand, cédant aux exhortations de son éditeur à revenir au genre qui avait fait sa célébrité et sa richesse, Feinstein écrivit son second conte, *Black Sheep*, qui parut quatre ans plus tard, en 1899.

C'est à ce moment que la rumeur s'était mise à courir. Quoiqu'on retrouvât dans *Black Sheep* le même canevas que dans *Young Alice* — en ce sens que les animaux étaient humanisés et débattaient philosophiquement des choses de la vie — l'œuvre n'avait aucune des grandes qualités du conte précédent : à savoir une histoire originale, truculente et empreinte du sens du ridicule. Dès lors, l'explication relative au genre ne tenait plus.

— Difficile à dire si cette rumeur l'incita à ne plus écrire par la suite de contes, observa le chercheur. Un autre exemple de trop grande disparité avec son premier conte aurait alimenté davantage celle-ci. Quoi qu'il en soit, à partir de là, Feinstein s'en tint exclusivement à la poésie. Il publia, au cours des dix années suivantes, deux autres recueils de poèmes destinés aux enfants (le dernier à compte d'auteur). Ces recueils ne connurent pas plus de succès que *Childish Poetry*, soit dit en passant. À compter de 1910, à l'âge de quarante-sept ans, comme vous le savez peut-être, Feinstein cessa toute activité littéraire. Il ne prit plus la plume que pour rédiger son journal ou encore en de rares occasions, pour écrire des lettres.

— Mais comment cela est-il possible, professeur ? s'étonna Peter Thornhill. Si ce n'est pas Charles Feinstein qui a écrit *Young Alice,* alors qui est-ce ?

— Eh bien, rappelons d'abord une évidence et cela en toute justice envers Feinstein. Que cette rumeur soit vraie ou fausse, une chose est certaine : il a une part non négligeable dans la création de *Young Alice*. En expliquant comment, on commence à répondre à votre question.

Tout avait à voir avec la genèse du conte. *Young Alice* avait d'abord été dit avant d'être écrit, distingua le professeur. En cela, il respectait la tradition propre aux contes, lesquels étaient, à l'origine, comme son auditeur le savait sans doute, des histoires qu'on relatait de vive voix. On pouvait situer très exactement, dans le temps et dans l'espace, sa forme orale : le Sussex à l'été 1894. Charles Feinstein, qui passait les grandes vacances scolaires dans un centre de villégiature de la région, improvisait pour les trois sœurs Levine, avec qui il s'était lié d'amitié, des péripéties dont l'héroïne était une fillette d'une dizaine d'années. Il s'agissait, à peine transposée, d'Alice Levine, dont le conte tirait d'ailleurs son titre. Celle-ci n'avait eu de cesse de réclamer à Feinstein de coucher sur papier l'histoire en question, ce qu'il aurait fait durant l'automne.

— Comme vous pouvez le constater, s'il ne l'a pas écrit, il en a créé le canevas, l'idée originale si on peut dire. Maintenant, votre question : qui aurait écrit *Young Alice*, si ce n'est pas Feinstein ? Le bon sens veut qu'il ne puisse s'agir que de l'un des témoins de cette genèse.

— Et qui aurait prétendu être l'auteur de *Young Alice* ?

— Pas exactement, non. Aucun des candidats envisagés n'a jamais prétendu l'être, mais, encore ici, des raisons peuvent être avancées expliquant qu'ils auraient gardé la chose pour eux-mêmes.

Deux de ces témoins devaient, dès le départ, être écartés, continua d'expliquer le professeur Connelly : Alice et Loretta Levine, toutes deux étant trop jeunes. Par contre, il n'était pas exclu qu'il puisse s'agir d'Elizabeth, l'aînée des trois sœurs. Le plus souvent confinée à la maison avant et après cette période, elle aurait eu l'occasion de lire beaucoup et de développer un talent pour l'écriture. Elle n'avait que treize ans à l'époque, mais on avait déjà vu des personnes de cet âge faire montre de génie, bien que plus souvent pour la poésie que pour la prose. Elizabeth Levine n'aurait pas fait part qu'elle était l'auteur de *Young Alice* parce qu'elle était décédée le printemps suivant, c'est-à-dire un peu avant la publication du conte. Le long séjour estival dans cette station thermale de la famille Levine avait d'ailleurs pour but de soigner la tuberculose dont elle souffrait.

Un autre témoin et candidat potentiel était le révérend Chapman. Il était le voisin de chambre de Charles Feinstein à l'hôtel Audley et accompagnait souvent ce dernier et les trois sœurs Levine dans leurs promenades journalières. Quant à savoir pourquoi

Chapman aurait tu, par la suite, l'avoir écrit... le professeur Connelly avança, avouant ne pas trop y croire cependant, des vertus propres à son ordre : l'abnégation, la charité, l'humilité...

En parlant de ce personnage, George Connelly fit remarquer que l'ecclésiastique avait, de façon non intentionnelle, alimenté lui-même la rumeur au début des années 1900 dans un mince ouvrage intitulé : *A Rowing Boat Expedition with Alice.*

— Laissez-moi vous lire le passage en question...

Les yeux sur une feuille qu'il venait de retirer d'une chemise, le professeur lut à haute voix :

« Un matin, vers la fin août, je surpris Charles couché en travers de son lit, les yeux hagards. Des feuilles de papier, noircies de son écriture, avaient été déchirées et les morceaux étaient éparpillés ici et là sur le plancher. Je le savais très déprimé ces derniers temps et j'en compris enfin la raison, comme celle de ce rai de lumière que j'apercevais jusqu'à très tard le soir sous la porte de sa chambre. Suivant le désir d'Alice, il avait voulu donner secrètement aux péripéties qu'il nous contait une forme écrite. Cela devait être, m'avoua-t-il, son cadeau de fin de vacances à sa préférée. Il réalisait maintenant, à sa grande désolation, qu'il était incapable de le lui offrir. »

Le professeur Connelly ôta ses verres.

— C'est une chose que de conter de vive voix des incidents décousus, en se répétant fréquemment, et une autre que de les transposer par écrit en un tout linéaire et cohérent, en leur donnant l'ampleur nécessaire. On peut se demander si l'incapacité de Feinstein à coucher son récit sur papier durant l'été aurait pu perdurer durant l'automne... Mais revenons à nos témoins, fit-il en replaçant la feuille dans la chemise. Les narrations de Feinstein étaient poursuivies, les jours de pluie, dans un coin de la salle de séjour de l'hôtel et il est concevable qu'un client de l'Audley les eût entendues. Il ne faut parfois que des bribes d'une histoire pour susciter l'imagination, et ce client aurait pu fort bien s'inspirer de ce qu'il avait entendu pour en tirer l'histoire que nous connaissons aujourd'hui.

— Savons-nous qui ce client pourrait être ?

— Plusieurs soupçonnent une personne en particulier. Un client de sexe féminin. Vous avez lu *Lettres et Pages de journal de Lewis Nunn,* m'avez-vous dit ? Alors, vous devez vous rappeler l'une des correspondantes de Feinstein, Florence Tennyson ?

— Celle surnommée la « dame de cœur » de Feinstein ?

— Oui. Un peu étrange, quand on sait qu'il n'a jamais manifesté le moindre intérêt pour des femmes d'âge mûr. Et pour ajouter au mystère entourant cette personne, disons que son nom est un pseudonyme que seuls Feinstein et elle connaissaient. Eh bien, dans la première lettre qu'il lui envoie — peut-être ne vous rappelez-vous pas ce détail, monsieur Thornhill —, Feinstein parle d'une « dette éternelle » à son endroit. Plusieurs historiens croient qu'il ne s'agit pas d'une simple figure de style. Ils croient également que le compliment que Feinstein lui adresse dans sa seconde missive, « j'aurais toujours voulu m'exprimer de la sorte », pourrait ne pas concerner les lettres qu'elle lui adressait mais, pourquoi pas, le manuscrit de *Young Alice.* De plus, ils sont portés à penser que ce faux nom, cette dissimulation de sa vraie identité, a précisément à voir avec tout ceci...

Là-dessus, George Connelly se renversa dans son fauteuil.

— Vous-même, professeur, ne semblez pas croire qu'il y ait un autre auteur.

— Ce n'est pas ce que j'ai dit ou voulu laisser entendre, monsieur Thornhill, rectifia le chercheur. Je ne suis pas du tout insensible aux arguments dont je viens de vous faire part. Ils ne font qu'ajouter à la vraisemblance de cette rumeur... J'ai dit que mes collègues pourraient interpréter ce mot, pour lequel vous venez me consulter, comme une confirmation que Feinstein n'a pas écrit le conte. Et s'ils étaient portés à vous donner cette interprétation, c'est qu'ils n'auraient pas eu la chance que j'ai eue, je suppose.

Il marqua un temps, puis expliqua :

— Higgins avait raison au sujet de cette personne surnommée Heda. Elle était une ancienne petite amie de Feinstein, une qu'il aurait violentée sexuellement. Alors, comme il l'a très logiquement déduit, la meilleure explication, pour ne pas dire la seule, à la disparition des documents, c'est qu'elle les aurait détruits, étant donné qu'ils étaient relatifs à l'agression dont elle avait été victime. Bon nombre de femmes dans la même situation auraient aussi jugé préférable de les détruire, n'est-ce pas ?

— Vous avez percé l'identité de Heda ?

Un éclat de fierté apparut dans l'œil du professeur.

— Oui, fit-il. Il s'agit d'Alice Levine.

Le mot au dos de la couverture de l'exemplaire de David O'Connor avait évoqué chez lui l'incident que lui avait confié un témoin au cours de recherches antérieures. En septembre 1895, le docteur Levine avait publiquement apostrophé Charles Feinstein relativement au délit sexuel dont celui-ci se serait rendu coupable à l'endroit de sa fille Alice à l'été 1894. Le médecin n'aimait déjà pas Feinstein à cette époque et, n'eût été la présence du révérend Chapman, il ne l'aurait pas laissé se promener avec ses filles. La présence de l'ecclésiastique à leurs côtés le rassurait. L'incident dont parlait le professeur Connelly s'était déroulé dans un musée d'histoire naturelle. Le docteur Levine serait sorti de ses gonds en voyant l'écrivain, qui se trouvait là par hasard, exprimer ses sympathies à la sœur de sa défunte fille Elizabeth d'une manière un peu trop démonstrative. Il avait alors formulé son accusation devant tous les visiteurs présents. Le docteur disait posséder des preuves et jurait de poursuivre Feinstein en justice si jamais il cherchait à revoir Alice.

— Feinstein s'est tenu à carreau, continua d'expliquer Connelly, car l'accusation du docteur Levine ne fut jamais portée devant les tribunaux. À ce moment, le médecin avait d'autres chats à fouetter. Il était sur le point de perdre le droit de pratiquer à la suite de ses propres écarts de conduite. Il fut impliqué dans une histoire d'ordonnances de médicaments interdits. Cet homme a tristement terminé sa vie : il est mort au début des années trente sans le sou et déconsidéré.

— Professeur Connelly, vous auriez donc déduit que le segment de phrase du mot de Feinstein relatif à des propos diffamatoires, le « tu sais qui », visait le docteur Levine ?

— Je l'ai posé, en effet, comme hypothèse.

— C'était supposer aussi que sa fille Alice était notre acronyme, Heda ?

— Hum, pas forcément, mais c'était fort probable ; et puis, j'ai eu ce coup de chance qui m'en a fourni la preuve.

Là-dessus, il prit un vieux périodique posé sur le dessus de son bureau et le tendit à Peter Thornhill.

— Il s'agit d'une entrevue qu'a accordée l'éditeur de *Young Alice*, Dwight W. Haythorne. Il y a de ça un bon moment. Je ne crois pas que beaucoup de chercheurs en connaissent l'existence. Je ne la connaissais pas moi-même et pourtant un exemplaire de ce numéro se trouvait là.

Il désigna un rayonnage de sa bibliothèque qui débordait de documents, puis remarqua :

— Il n'est pas toujours nécessaire au paléontologue de dénicher de nouveaux fossiles pour faire de grandes découvertes. Il n'a besoin parfois que d'examiner plus attentivement ceux déjà trouvés. J'aimerais que vous l'ouvriez à la page où le signet est placé et que vous preniez connaissance du passage que j'ai souligné d'un trait. Il s'agit de la première strophe d'un poème que cite de mémoire l'éditeur au journaliste.

Peter Thornhill fit comme il lui était demandé et lut le passage en question :

Prima, l'impérieuse, se met à ordonner :
« Que l'histoire commence ! »
Sur un ton plus doux, Secunda dit souhaiter :
« Plein d'invraisemblances ! »
Tandis que Tertia interrompt le conte
une fois toutes les trente secondes.

Il leva ensuite un regard interrogateur vers le professeur Connelly, mais s'abstint de lui faire part de son incompréhension momentanée à cette lecture, le temps de relire. Une fois qu'il eut terminé et avant qu'il ait eu le temps de demander ce qu'il devait comprendre, le professeur dit :

— Ce poème écrit par Feinstein ne fut jamais publié. Il avait été joint au manuscrit et devait paraître en préface, mais il fut retranché sur le bon à tirer. Il s'agit vraisemblablement des surnoms qu'il avait donnés aux sœurs Levine. Prima, l'impérieuse, était Elizabeth ; Secunda, la douce, était Alice ; enfin, Tertia, la cadette, était Loretta. En posant que les lettres *h* et *e* de l'acronyme Heda font partie de l'appel « Chère », un seul de ces surnoms contient la syllabe *da*.

— Heda serait donc Secunda, la deuxième des filles du docteur Levine ?

— Oui. Et c'est à elle, nul doute, qu'il a fait parvenir, en 1927, l'exemplaire accompagné de l'énigme.

Étant en quelque sorte l'incarnation de l'héroïne de *Young Alice*, dit encore l'universitaire, la jeune fille était devenue un personnage connu. La recherche à son sujet en fut d'autant facilitée. George Connelly n'avait pas même eu à sortir de l'université pour connaître, dans les grandes lignes, ce qui lui était advenu. La seule consultation de l'index général du *Times* pour retrouver l'article que le journal lui consacra dans sa rubrique nécrologique au lendemain de sa mort fut suffisante.

— Les grandes lignes sont celles-ci, annonça le professeur, penché sur une note :

« ... mariage en 1907, à l'âge de 22 ans, avec un homme d'affaires prospère de dix ans son aîné, Henry Lee Cohen ; quatre ans plus tard, en 1911, elle donne naissance à une fille, Jessica ; en 1916, elle perd son mari, enrôlé dans l'armée de terre pour aller combattre en Allemagne les prétentions pangermanistes de Guillaume II ; enfin, restée veuve, elle meurt le 12 septembre 1945 à l'âge de 60 ans. »

Jessica Cohen était toujours vivante et continuait d'habiter la maison familiale, qu'elle n'avait sans doute jamais quittée depuis sa naissance. Elle était la seule et unique héritière de ses parents. Il avait tenté de la joindre pas plus tard que la veille, mais elle était hors de la ville et ne serait de retour que le lendemain.

— Alice Levine aurait pu garder son secret pour elle-même, concéda volontiers le professeur Connelly, mais il est possible aussi qu'elle en ait parlé à ses proches, dont sa fille. En conséquence, madame Jessica Cohen pourrait nous éclairer une fois pour toutes sur la teneur des documents qui nous préoccupent.

— C'est-à-dire confirmer l'opinion de Higgins? remarqua Peter Thornhill avec une expression déconfite.

Tous ses efforts pour obtenir une seconde opinion apparaissaient avoir été vains.

— Vous ne pouviez faire autrement que de consulter un autre expert, monsieur Thornhill, remarqua le professeur Connelly. Vous en abstenir aurait été une erreur. Hum, à propos, pour faciliter le souvenir de madame Cohen, je vous serais reconnaissant si vous me permettiez d'emprunter l'exemplaire de votre employé.

Peter Thornhill eut un bref moment d'hésitation. Son sentiment d'avoir abusé de l'obligeance de David O'Connor restait vif.

— Comme il était prêt à le vendre, m'avez-vous confié, jugeriez-vous que cela le rassurerait si un montant de vingt-cinq livres sterling était mis en garantie?

Le directeur déclara que cet arrangement serait sûrement acceptable pour le concierge de son collège et confia l'exemplaire à George Connelly.

13

Après les fromages et le dessert, William Muller annonça, sur un ton faussement grave, que Richard et lui avaient de très importantes affaires à discuter entre hommes. Il demanda donc à sa femme et à celle de son invité de les excuser et conduisit son ami dans une pièce qu'il continuait encore à appeler le « fumoir », bien qu'elle fût surtout utilisée pour jouer au billard tout en dégustant un whisky.

— Tu peux penser, Richard, que je te lance un défi pas très équitable, dit l'avocat, en lui tendant une queue, mais je n'ai pas joué depuis des lunes. Alors, nous sommes fort probablement ici sur le même pied.

William Muller et Richard Lockwell avaient fait connaissance au cours d'un procès, il y a de cela quelques années. Une affaire de testament olographe dont l'authenticité était contestée. Le client de maître Muller avait toujours cru être en possession du seul testament de sa mère, mais celle-ci en avait apparemment écrit un autre tout juste avant de mourir. Dans ce deuxième testament, un neveu héritait de la moitié de sa fortune. L'avocat avait besoin d'un expert en documents écrits et, après s'être renseigné auprès de plusieurs personnes, il fit appel à Richard Lockwell, qui travaillait au département de criminalistique de Scotland Yard. Durant leur collaboration, un respect mutuel s'était développé entre eux, tout autant qu'une sympathie réciproque. Depuis, ils étaient restés en contact et, de temps à autre, faisaient en sorte de mêler à leur relation leurs conjointes.

Muller n'avait peut-être pas joué au billard depuis des lunes, mais son adversaire n'était pas de taille. Alors, l'avocat commença à lui donner de petits conseils pratiques. La boule blanche pouvait être frappée en plein centre pour un coup droit ; au-dessus pour lui imprimer un mouvement vers l'avant ; en bas pour un effet rétrograde ; ou encore d'un côté ou l'autre pour un effet à gauche ou à droite. Il ne fallait jamais frapper dans le simple but de marquer un point, cela était futile. Il fallait toujours frapper pour préparer le deuxième coup. C'était le secret du jeu : le deuxième coup.

Lockwell apprenait vite et commença à s'améliorer.

— Alors, sur quoi travailles-tu ? s'enquit à un moment l'homme de loi.

— Sur la partie la plus délicate et épineuse d'une affaire, soupira l'expert. La contrefaçon de l'écriture a été prouvée hors de tout doute, mais je dois à présent chercher à identifier le faussaire.

Il fixa les trois boules sur le tapis vert, en faisant la lippe. Le dernier coup de l'avocat les avait placées dans une telle position qu'il lui était impossible de marquer un point, c'est-à-dire de frapper tour à tour les deux boules rouges.

— Merci pour la préparation, William.

William Muller sourit, puis demanda :

— Pourquoi si épineuse ?

— Eh bien, il faut que je compare ce qui est habituellement... incomparable.

D'un côté, expliqua-t-il, il disposait des documents contrefaits et, de l'autre, des exemples de l'écriture normale du faussaire suspect. Dans ces lettres qu'il avait écrites au cours des dernières années, Lockwell disait devoir relever, en aussi grand nombre que possible, des particularités très infimes de son écriture. Celles qu'il allait reproduire inconsciemment, même en imitant l'écriture de quelqu'un d'autre. Ensuite, il devait chercher à trouver ces mêmes particularités, encore une fois en aussi grand nombre que possible, dans les contrefaçons.

— C'est un travail long, laborieux et souvent peu concluant.

Il essaya de rendre la faveur à Muller en frappant lui-même un coup sacrifice, mais il n'y parvint pas. L'avocat fut capable de marquer et ensuite, il obtint une longue série de coups réussis.

— Cela me rappelle un film, se lamenta Lockwell. *L'Arnaqueur*. J'abandonne.

Muller eut un éclat de rire amusé, replaça les queues de billard dans le râtelier et offrit à son ami de remplir son verre. Il y avait une vingtaine d'années de différence entre eux — Lockwell avait quarante-quatre ans — mais cela était sans importance. Ils avaient tous deux plusieurs traits en commun, dont celui d'être, chacun dans leur domaine, de véritables professionnels. Muller n'oublierait jamais combien Lockwell avait admirablement réussi à prouver lors du procès la fausseté du document litigieux.

À l'aide d'agrandissements, il avait présenté, avec force détails, de très nombreuses différences d'écriture entre les pièces de comparaison et la pièce incriminée, différences qui étaient telles qu'elles annihilaient toute possibilité que les deux testaments émanent de la même main. Sa contribution avait été le point tournant de toute l'affaire et avait constitué, aux yeux de l'avocat, le parfait exemple d'un témoignage d'expert. Plus tard, à la barre des témoins, Muller avait réussi sans peine à faire admettre au neveu sa culpabilité. Il avait remis à un faussaire, à titre d'exemples de sa manière d'écrire, des lettres que sa tante lui avait envoyées et l'avait payé pour qu'il contrefasse l'acte par lequel elle disposait de ses biens.

Les deux hommes, confortablement assis dans des fauteuils dont les bras étaient suffisamment larges pour tenir d'aplomb leurs verres, continuèrent de parler de tout et de rien, Muller alimentant parfois la conversation par des questions un peu plus pointues sur l'expertise en écriture. Ainsi, à un moment, il demanda, comme par simple curiosité :

— À propos, Richard, comment se fait au juste l'établissement de la date d'un texte ? Vous ne pouvez vous fier au papier, hum ? Il est plutôt assez facile de trouver du vieux papier vierge, non ?

— Comme de raison. Le papier n'est pas une preuve en soi. Ce qui est probant, c'est l'encre.

— L'encre ?

— Oui...

C'étaient les chlorures et les sulfates de l'encre, une fois soumis à l'action de réactifs, expliqua Lockwell, qui permettaient de dater les textes. Ces sels ne tardaient pas à quitter la région immédiate du tracé et à émigrer dans le papier, d'abord en profondeur puis sur les côtés. L'émigration des chlorures commençait au bout de quelques jours et se terminait un an plus tard. Celle des sulfates était beaucoup plus lente et on ne pouvait guère la constater qu'au bout d'une année. Elle se poursuivait à peu près de la même façon que les sels de l'acide chlorhydrique, en admettant un équivalent d'une année pour un mois. Au bout de dix ou douze ans, elle aussi se terminait.

Muller eut un battement de paupières.

— Si je comprends bien, Richard, voulut-il s'assurer, vous ne pouvez déterminer la date de textes écrits depuis plus de douze ans ? Vous ne pouvez pas dire, par exemple, s'ils ont été écrits à peu près au même moment ou à plusieurs décennies de différence ?

— Exactement. Une fois l'émigration de ces deux substances terminée, il n'est plus possible de les dater autrement que pour dire qu'ils sont vieux d'au moins dix ou douze ans.

William Muller eut un drôle de rictus et, pour le masquer, il leva son verre et avala une large rasade de whisky.

— Alors ? s'enquit plus tard Helena Muller, une fois leurs invités partis.

Son mari secoua négativement la tête.

— L'imposture ne pourrait être éventée de cette façon... On ne peut dater un texte au-delà d'une douzaine d'années.

— Ah...

S'il s'agissait d'une machination, la fausse confession de Charles Feinstein n'avait pas été écrite en 1895, comme on aurait voulu le faire croire, mais à peu près en même temps que les lettres à l'imprimeur, c'est-à-dire en 1927. William Muller avait cru que les experts pouvaient établir la date d'un texte même très ancien. Donc, si on établissait que cette confession aurait été rédigée non en 1895, mais trente ans plus tard, toute cette supercherie pourrait être éventée, avait-il présumé. À tort, réalisait-il à présent.

— Et au sujet de l'expertise en écriture ? des spécimens de comparaison nécessaires à son application ? Richard t'a donné des précisions ?

William Muller eut un soupir de dépit. Il aurait pu s'abstenir de les lui demander, mais il l'avait fait par acquit de conscience.

— Il a parlé d'une centaine de mots au strict minimum, plus probablement cent cinquante. En outre, ils devraient provenir de plus d'une source, de plus d'un texte ; trois ou quatre en fait, et relativement espacés dans le temps. Cela permet, m'a-t-il expliqué, de faire des recoupements et de mieux garantir les constances graphiques du scripteur original.

Il se trouvait encore des exemples de l'écriture de Charles Feinstein, particulièrement de sa signature. Elle apparaissait en effet sur un certain nombre de documents : des billets à ordre, des chèques, des formulaires divers, etc. Celle reproduite dans l'encyclopédie *Britannica* provenait d'un abonnement qu'il avait souscrit à cet ouvrage de référence. Mais on peut imiter parfaitement une signature. C'est en cela qu'un contrefacteur se spécialise. Richard Lockwell avait lui-même reconnu durant le procès qu'il aurait été incapable, par la simple confrontation de signatures de la défunte avec celle apparaissant au bas du testament contesté, de prouver qu'il s'agissait d'une contrefaçon. Si le texte du testament était d'une imitation moins réussie, la signature de la pièce forgée était par contre, à son dire, « une petite merveille ». Les constances d'écriture de la défunte, il les avait tirées de l'analyse d'un cahier de recettes de cuisine que la dame avait rédigées de sa main au fil des ans.

— Il s'agirait d'une ironie du sort un peu trop cruelle, non ? Sir Paul Harrisson, en ordonnant la destruction des archives de son oncle, aurait éliminé le plus sûr moyen d'établir que des documents prétendument écrits de la main de Feinstein seraient des faux.

L'avocat ne commenta pas la remarque de sa femme, mais souhaita en lui-même avoir erré, autant au sujet de cette machination qu'au sujet de la possibilité que la déclaration ait été dissimulée dans un autre exemplaire et s'y trouve toujours si la personne à qui le bouquin avait été expédié n'avait pas réussi à déchiffrer l'énigme.

Il avait eu le loisir d'examiner le numéro IV, dont son client était en possession et dont la couverture, à l'instar des autres, avait été achevée. Puisqu'il était intrigué par la manière dont les documents avaient été cachés, son attention s'était portée sur la page de garde du plat recto et plus précisément sur le joint chevauchant le papier couleur et la lisière de la couvrure. Le joint était lisse, parfaitement compressé, et il s'était demandé comment quelqu'un, sans outils appropriés, sans presse d'imprimerie, aurait pu réussir à obtenir un résultat à peu près similaire, c'est-à-dire réussir à coller du papier sur du cuir sans que cela ne soit apparent. Si l'effet escompté avait trop laissé à désirer, ce type de camouflage avait forcément été mis de côté. Une autre façon de faire aurait alors été imaginée, le destinataire se servant cette fois d'un livre en parfaite condition. Cela expliquerait la demande plutôt saugrenue faite à l'imprimeur de parachever les couvertures. Le retrait des documents du premier numéro aurait pu être le fait de Feinstein lui-même, admettait volontiers l'avocat, mais cela aurait pu être le fait aussi, s'empressait-il de noter, du faussaire. L'escroc agissait face à une échéance qu'il ne contrôlait pas — la mort du célèbre écrivain étant imprévisible — mais, tant et aussi longtemps que les journaux n'avaient pas encore annoncé son décès, il pouvait continuer à élaborer sa supercherie.

La page de garde de l'exemplaire I, dont l'envers reproduisait les empreintes d'écriture du mot accompagnant la déclaration, Feinstein ou l'escroc l'aurait recollée. Puis le bouquin aurait été oublié au fil des ans, jusqu'à ce qu'il soit récemment retrouvé par le concierge du collège Duffin. Et si « Heda » n'avait pas solutionné la devinette, les documents, authentiques ou faux, se trouveraient toujours dissimulés dans cet autre numéro qu'on lui avait fait parvenir.

Higgins avait affirmé ignorer qui se cachait sous l'acronyme *Heda,* mais d'autres spécialistes, et des bien meilleurs, une fois informés de celui-ci, pourraient, eux, finir par le découvrir. Une simple investigation permettrait alors de retrouver cette personne. On s'apercevrait avec étonnement qu'elle aurait été en possession de cet autre exemplaire mais n'aurait pas déchiffré l'énigme, et on s'empresserait comme de raison d'éventrer la couverture du livre.

14

George Connelly se gara le long d'Attenborough Street dans le quartier du South Cove, puis se dirigea vers une maison de trois étages très cossue. Après en avoir vérifié le numéro, il alla frapper à la porte. Elle s'ouvrit bientôt sur un homme de forte stature, la mi-trentaine, les cheveux en brosse.

— Professeur Connelly, je présume? fit l'aide de Jessica Cohen, avec un accent qui trahissait son origine étrangère. Entrez, je vous prie.

Dans le vestibule, Alexander Zalaski, qui avait quitté la Hongrie au moment de l'invasion russe de 1956 et était depuis ce temps au service de la fille d'Alice Levine, aida le visiteur à se débarrasser de son parapluie et de son imperméable, puis le fit passer dans une petite salle de séjour très éclairée et encombrée de fougères.

— Madame Cohen, informa-t-il, ne devrait pas tarder à venir vous rejoindre.

Sur ce, il le salua de tout le haut du corps et s'éclipsa.

Le chercheur eut à patienter plusieurs minutes avant de voir la descendante de « Heda » apparaître enfin dans l'embrasure de la porte. Cette apparition ne pouvait manquer de provoquer un certain choc : la dame se déplaçait à pas de tortue à l'aide de deux cannes, munies chacune d'un support pour l'avant-bras. George Connelly se leva presque d'un bond du sofa sur lequel il se trouvait, autant pour saluer son arrivée que pour lui porter assistance si cela s'avérait nécessaire.

— Je vous en prie, fit celle-ci avec bienveillance, rasseyez-vous. Je sens la présence d'Alex derrière moi et, le connaissant, il aurait tôt fait de m'agripper avant que je m'écroule.

Zalaski se tenait en effet juste derrière elle, prêt à intervenir, l'air soucieux et embarrassé de la voir ainsi souffrir de ce qu'il jugeait n'être que de l'amour-propre. À l'occasion, surtout devant des étrangers, madame Cohen refusait de se montrer en fauteuil roulant.

Petite de stature, le regard animé, presque frondeur, Jessica Cohen, la jeune cinquantaine, avait le port de tête fier malgré une coiffure qui la déparait. Sa chevelure mince, clairsemée et comme effilochée, était platement séparée au-dessus du crâne et tombait dru de chaque côté. On aurait dit que, lasse d'essayer de coiffer avantageusement cette chevelure rebelle, elle avait décidé de la négliger, comme par esprit de vengeance.

Une fois calée dans un fauteuil — elle avait eu besoin de son assistant pour ce faire —, elle dit :

— Vous avez été plutôt laconique au téléphone, professeur Connelly. Quelle est donc cette affaire si singulière dont vous disiez ne vouloir me faire part qu'en personne ?

— La raison de ma visite, madame, se rapporte à ceci...

Il sortit de sa serviette de cuir l'édition soignée de *Young Alice* et la tendit à son hôtesse.

— Pourriez-vous me dire si vous avez déjà vu ce livre ? J'ai toutes les raisons de penser qu'il aurait été envoyé à votre mère au début de l'été 1927.

Elle prit le bouquin en main et attarda un instant son regard dessus.

— Je me le rappelle, oui. Il a déjà appartenu en effet à ma mère.

Le professeur eut un signe d'entendement devant sa confirmation.

— Comment en avez-vous fait l'acquisition ?

— Il ne m'appartient pas, madame, mais celui à qui il appartient l'a acheté d'un marchand de livres d'occasion.

— Oh, oui. Je crois me rappeler que lors de la fermeture, la ville, pour essuyer certaines des dettes de la bibliothèque, a vendu des lots de livres.

Elle expliqua qu'à la mort de sa mère elle en avait fait don, avec de nombreux autres livres qui lui appartenaient, à la bibliothèque de quartier.

— Enfin, à l'ancienne bibliothèque de quartier, précisa-t-elle, en déposant le bouquin sur le dessus de la massive table basse en bois d'acajou qui la séparait de son visiteur. Elle a fermé ses portes depuis plus d'une dizaine d'années.

— À cet exemplaire, madame, reprit George Connelly, Charles Feinstein avait joint une devinette, une énigme. Vous rappelez-vous que votre mère en eût jamais fait mention ?

— Pas que je me souvienne, commença-t-elle d'abord à répondre, pour ensuite demander : quand le lui aurait-il fait parvenir au juste ?

— En 1927. Vraisemblablement à la fin de juin 1927.

Jessica Cohen réfléchit un bref instant, puis dit :

— Juin 1927... J'avais seize ans alors... À l'époque, je passais tous mes étés dans une colonie de vacances. Je n'étais donc pas à la maison quand elle l'a reçu. Mais vous me faites penser...

Sur ce, elle appela son aide. Celui-ci, qui s'occupait à proximité, apparut presque à l'instant même.

— Alexander, dit-elle, auriez-vous l'obligeance de monter à ma chambre et de m'apporter la boîte dans laquelle je conserve les lettres de ma mère ?

Au bout d'une minute ou deux, le Hongrois revenait avec une boîte de carton dont le couvercle et les parois étaient ornés de pétales de marguerites de différentes couleurs. Il la remit à la maîtresse de maison, puis retourna à son occupation.

Jessica Cohen enleva le couvercle et se mit à manipuler de petits paquets de lettres attachés chacun par deux bandes élastiques qui s'entrecroisaient à angle droit. Un petit carton rectangulaire de la dimension d'une carte de visite, et sur lequel une année avait été inscrite, était glissé sous les élastiques. La dame ne tarda pas à retirer de la boîte celui portant le millésime 1927.

Ce paquet devait compter une douzaine de lettres au plus. Elle retira les bandes et laissa courir un instant ses doigts sur les feuilles de papier pour vérifier la date en haut et à droite de chacune des premières pages des missives.

— Elle m'écrivait chaque semaine, fit-elle remarquer, tout en parcourant des yeux cette fois les lettres que sa mère lui avait fait parvenir en juin de cette année-là.

Au bout d'un instant, elle s'exclama :

— Ah, voilà... Je me doutais qu'elle avait dû m'en parler.

Elle tendit au professeur la lettre qu'elle venait de consulter et lui indiqua du doigt un passage. L'universitaire le lut à haute voix : « Ai reçu un bel exemplaire de *Young Alice* de monsieur Feinstein. À titre de cadeau posthume, je suppose, car j'ai appris qu'il est décédé il y a quelques jours... »

— Il a dû demander à son vieux serviteur de le lui expédier à sa mort, observa George Connelly, en levant momentanément les yeux. Puis, il reprit sa lecture : « Il a joint une devinette, que j'ai mise au panier... »

Il s'arrêta net, dévisagea Jessica Cohen avec un air incrédule.

— Au panier ?

— Qu'y a-t-il de si surprenant ? J'aurais fait de même, rétorqua plutôt sèchement son hôtesse.

Le professeur avait reporté ses yeux sur la lettre :

— « ... étant rendue trop vieille, tu comprendras, pour jouer à ces petits jeux ». Elle ne l'a pas résolue ? s'étonna-t-il.

Jessica Cohen grimaça. Elle ne trouvait pas la chose si étonnante.

— Si elle s'est refusée à se prêter à ce petit jeu, expliqua-t-elle, indignée, c'est qu'il revêtait un caractère des plus ambigus, voire pervers, professeur.

Ce dernier comprit.

— Bien sûr ! s'exclama-t-il. Elle était par trop consciente alors de l'usage que Feinstein faisait parfois de ses devinettes !

— Une façon insidieuse d'approcher les tout jeunes, oui.

— Je suis désolé, madame, fit-il, reconnaissant enfin qu'un tel souvenir ne pouvait que la blesser, mais le fait qu'elle n'ait pas déchiffré l'énigme peut avoir des conséquences très, très importantes. Je veux dire extrêmement importantes.

— Vraiment ?

— Oui... Et à ce propos, enchaîna-t-il sur un ton rendu plus aigu par l'excitation qui commençait à le gagner, savez-vous dans quel état était ce livre au moment où vous l'avez remis à la bibliothèque?

— Que voulez-vous dire par « dans quel état »?

Il se pencha vers le bouquin et l'ouvrit, exposant ainsi le décollement de la page de garde du plat recto.

— Je veux parler de l'état de cette page, qu'on appelle, dans le jargon du métier de la reliure, le papier couleur. Il ne s'agit pas de me dire s'il était dans l'état actuel, mais plutôt si, quoiqu'il eût été recollé au comblage de carton, ce papier bariolé présentait malgré tout une certaine imperfection, comme un gondolement?

L'état gondolé auquel il faisait allusion était celui qu'avait remarqué David O'Connor au moment de son achat.

— J'ai pris la peine d'inspecter chacun des livres, répondit-elle, et, si ce papier avait été altéré, je l'aurais remarqué. Que s'est-il passé?

— La solution à la devinette invitait à déchirer la couverture.

— Oh!

— Comme votre mère n'a pas cherché à la résoudre, il était improbable qu'elle ait eu l'idée de déchirer le papier couleur, mais je désirais m'en assurer.

Là-dessus, il souleva le papier en question et laissa voir cette fois les traces d'écriture au dos.

Son hôtesse eut un petit haussement de sourcils.

— Qu'est-ce que c'est?

— Un mot, enfin les traces inversées d'un mot écrit par Charles Feinstein et destiné à votre mère.

Un léger rictus de désagrément apparut au coin des lèvres de Jessica Cohen.

— Ce mot, une fois à l'endroit, que dit-il?

Le professeur sortit de sa serviette la retranscription qui en avait été faite et la lui remit.

Les caractères du texte étant trop petits pour sa vue, elle appela Alexander Zalaski pour qu'il lui apporte ses verres. Elle lut le mot plus d'une fois. Le Hongrois, qui jeta un œil par-dessus l'épaule de sa patronne, put en saisir aussi le contenu.

Relevant la tête, elle demanda, perplexe :

— Ces cahiers d'écolier... seraient ceux d'Alice ?

— C'est ce qui était le plus vraisemblable, madame. Enfin, le plus vraisemblable avant d'apprendre qu'elle n'avait pas ouvert la couverture. Maintenant, c'est loin d'être certain. Ils pourraient appartenir à quelqu'un d'autre et auraient pu servir à un autre usage que celui du simple journal d'une fillette. À ce propos, votre mère aurait-elle gardé des souvenirs de sa sœur aînée ?

— Des souvenirs d'Elizabeth ?

— Oui. Un journal, des écrits divers. Ne serait-ce, par exemple, que des devoirs d'école.

— Des écrits ?

George Connelly confirma d'un signe de tête.

Il y eut un silence pendant lequel, au lieu de fouiller sa mémoire, Jessica Cohen chercha plutôt de son regard intelligent à percer la raison de l'intérêt de l'universitaire pour cette tante qu'elle n'avait pas connue, parce que morte dans la fleur de l'âge. Puis, ses yeux se portèrent de nouveau sur le livre ouvert devant elle.

— Ces cahiers d'écolier... seraient ceux d'Elizabeth ?

— Hum, répondit le professeur, je cherche précisément à savoir à qui ils auraient appartenu.

L'autre reporta son regard sur la retranscription, plus spécialement sur le post-scriptum, puis demanda encore :

— De quoi ces cahiers sont-ils la preuve, dites-moi ?

Le visiteur sentit soudain le poids de deux lourds regards se poser sur lui et, après un moment d'hésitation, il répondit :

— La preuve que Charles Feinstein n'aurait peut-être pas écrit *Young Alice*, madame, le véritable manuscrit étant contenu dans ces cahiers.

— Pardon ?

Jessica Cohen crut avoir mal compris.

— Êtes-vous en train de dire que, en plus d'être... (elle hésita un instant à dire le mot, mais le dit tout de même) ... ignoble, Lewis Nunn était aussi un fraudeur ?

George Connelly jugea préférable d'éluder cette question, ce qui n'empêcha pas son hôtesse de lui en soumettre une autre :

— Cette demande de consulter des écrits d'Elizabeth, c'est pour en faire une analyse de style ?

Cette perspicacité surprit le chercheur.

— En quelque sorte, concéda-t-il, comme malgré lui.

Du coup, cette histoire d'usurpation de droits d'auteur prit aux yeux de Jessica Cohen une tournure toute personnelle. Elle était le parent encore vivant le plus proche d'Elizabeth et, de ce fait, son héritière universelle.

— Asseyez-vous, Alex.

Le Hongrois vint s'installer sur le même sofa que le visiteur et dévisagea celui-ci avec une curiosité avide. Cette histoire prenait aussi pour lui une tournure personnelle, car il avait fait la même déduction que sa patronne, excepté qu'il poussait l'ordre de succession d'Elizabeth d'un degré de plus. Au fil des ans, il s'était tissé entre Zalaski et Jessica Cohen une affection respectueuse qui avait poussé cette dernière à le coucher sur son testament.

— Elle ne serait qu'une candidate parmi d'autres, nuança le professeur, voyant qu'il s'était trop avancé. D'ailleurs, cela repose beaucoup sur le fait qu'elle n'ait pu nier qu'elle en ait été l'auteur étant décédée juste avant la publication du conte.

Loin d'apaiser, cette affirmation, qu'il aurait souhaité mieux formuler, eut pour effet d'assombrir plus encore le visage de Jessica Cohen. Étourdie par ces étonnantes révélations, elle en oubliait sur le coup que sa tante était morte chez elle d'une crise aiguë d'emphysème, son père médecin à ses côtés.

15

Le bureau de Marshall Berger, recteur de l'université de Birmingham et patron du professeur Connelly, ne comptait pas moins d'une dizaine de meubles, dont l'un était cette table ovale servant aux réunions et autour de laquelle pouvaient s'asseoir cinq ou six personnes. D'un geste, il invita George Connelly à y prendre place — plutôt que devant son large et imposant bureau —, puis il s'installa sur la chaise qui faisait face à celle du chercheur.

Cette proximité donnait à la rencontre le caractère privé et officieux que le recteur jugeait approprié dans les circonstances. Il ne se souvenait pas que George Connelly lui eût jamais demandé à le voir « dans les plus brefs délais » comme le lui avait rapporté sa secrétaire. Et pour se conformer à son souhait, il avait pris la peine de reporter un rendez-vous.

— Je vous écoute, dit-il.

Le petit homme prit une profonde inspiration, puis déclara :

— Voilà, Marshall... je veux provoquer un coup de théâtre et le colloque serait le parfait endroit pour le faire.

Cette entrée en matière fut reçue par un petit haussement de sourcils de la part de son supérieur. Le colloque dont parlait Connelly était celui sur le romantisme et l'époque victorienne des 10, 11 et 12 juin à venir. Le recteur était président du comité organisateur.

— Quel coup de théâtre ? s'enquit-il, un peu sur ses gardes.

George Connelly lui tendit un bout de papier.

— Il s'agit du titre de la communication que j'aimerais prononcer. Elle pourrait être ajoutée à l'ordre du jour.

Marshall Berger chaussa ses lunettes et porta les yeux sur le titre en question, lequel était : « Charles Feinstein, véritable auteur de *Young Alice* ? »

— ... Hum, si vous m'expliquiez, George ? fit-il, un peu incrédule.

Le professeur l'informa du détail des événements entourant la découverte que lui avait rapportée Peter Thornhill et des déductions qu'il avait tirées précédant sa rencontre avec Jessica Cohen.

— Avant-hier, j'ai pu enfin lui parler. J'avais raison pour une chose : c'est bien à sa mère que Feinstein a fait parvenir l'exemplaire, mais elle n'a pas déchiffré l'énigme ; elle n'a pas voulu le faire.

— Et... alors ?

— Ce n'est donc pas elle qui en a retiré la confession de Feinstein puis pris possession des cahiers. L'argument voulant qu'il s'agisse de l'aveu d'une agression sexuelle vient du coup de tomber ; enfin, d'être fortement ébranlé. Alice Levine avait toutes les raisons de le faire disparaître, mais pourquoi, de nombreuses années plus tard, une personne étrangère à cette histoire de mœurs l'aurait-elle fait ?

George Connelly avait mené sa petite enquête au cours des derniers jours. L'exemplaire remis à la bibliothèque de quartier du South Cove avait été à la disposition des abonnés de 1945 à la fermeture de l'institution. La liste des abonnés et les fiches d'emprunt des livres, comme de raison, n'avaient pas été conservées. À la fin de l'année 1951, toute la collection de la bibliothèque avait été mise aux enchères et achetée par lots d'auteurs, de sujets, etc. Les acheteurs — marchands de livres d'occasion, de livres rares, collectionneurs ou simples particuliers — avaient payé comptant et emporté les lots. La personne qui avait présidé à cette vente n'avait pas pris la peine de consigner les transactions. Il était donc impossible de savoir qui avaient été ces acheteurs.

À partir de là, on perdait la trace du bouquin jusqu'à ce que l'employé du directeur Thornhill, David O'Connor, en fasse l'achat à la fin du mois d'avril dernier dans une librairie du quartier Moonshield.

— Et alors la confession avait déjà été retirée ? observa Berger.

— Oui. J'ai téléphoné à la personne qui lui a vendu l'exemplaire, un monsieur Russell, copropriétaire de cette librairie. Il ne faisait pas partie des acheteurs de lots en 1951. À l'évidence, il n'est au courant de rien.

Ce monsieur Russell ne pouvait se rappeler quand il avait fait l'acquisition du livre, et encore moins qui le lui avait vendu. Il était d'abord et avant tout un commerçant et, indifférent à la marchandise, il aurait pu tout aussi bien vendre des pommes de terre. Il achetait des livres usagés à la caisse pratiquement tous les jours, autant de particuliers que de concurrents fermant boutique.

Une seule conclusion s'imposait, selon Connelly : quelqu'un — un abonné de la bibliothèque, un des acheteurs à la vente de la collection ou un client de ces revendeurs — avait découvert la confession de Charles Feinstein. Il ne disposait pas de la devinette dont la solution indiquait de déchirer la couverture, Alice Levine s'en étant débarrassée, mais il se trouvait tout de même les traces partielles de celle-ci sur la page de faux titre. On n'en pouvait rien comprendre à l'œil nu, mais Connelly supposait que cet individu avait fait usage d'un instrument d'optique. Ces traces d'écriture partielles et éparses avaient la particularité de piquer la curiosité : David O'Connor, on le lui avait rapporté, n'avait-il pas eu pour premier réflexe en les voyant de chercher à deviner leur teneur ? Si le concierge avait renoncé au bout d'un moment, quelqu'un de plus curieux encore avait pu utiliser une loupe assez puissante pour chercher à détecter un plus grand nombre de lettres.

— Sans doute pas toutes, mais suffisamment pour en arriver à déchiffrer la devinette, puis éventrer la couverture.

— Oui, peut-être, admit le recteur, mais... une fois la confession en main, laquelle m'avez-vous dit indiquait où récupérer les cahiers d'écolier, pourquoi cette personne se serait-elle abstenue de dévoiler les documents ?

Cette question, le professeur l'avait retournée dans sa tête toute la nuit.

— J'ai trouvé une réponse pour chacun des deux seuls scénarios possibles, Marshall. Et l'une de ces réponses est... déconcertante.

Le professeur fit une pause et son recteur, sans un mot, avec l'automatisme d'un homme habitué à faire de petits gestes aimables, tendit la main vers le pichet d'eau au milieu de la table et lui versa à boire.

Connelly se désaltéra, puis reprit :

— D'abord, établissons les deux scénarios : cette personne a récupéré soit une confession relative à une agression sexuelle — je n'exclus pas d'emblée qu'il s'agisse de cela —, soit une confession relative à une usurpation de droits d'auteur.

Dans le premier cas, celui où elle avait découvert l'aveu d'une relation pédophile, son abstention à le rendre public ne pouvait s'expliquer, selon le chercheur, que par une raison de censure. La personne aurait détruit la confession et les cahiers, journal intime de la jeune victime, parce qu'elle les jugeait moralement condamnables. Cela suppose que cette personne n'ait pas compris qu'il s'agissait d'une célébrité. Autrement, comment expliquer qu'elle renonce ainsi à une forte somme d'argent, ces documents ayant une assez grande valeur sur le marché ? Il faut donc présumer qu'elle n'a pas fait le lien avec Lewis Nunn. L'aveu portait la signature d'un certain Charles Lutwidge Feinstein, nom inconnu de la majorité des lecteurs de *Young Alice*. Il se trouvait aussi un mot à l'intérieur de la couverture, mais, là encore, il était signé du seul prénom.

— Et dans le deuxième cas ? Pourquoi cette personne, après avoir réalisé que le signataire de la confession avouait ne pas être l'auteur de *Young Alice*, aurait-elle refusé de dénoncer la fraude ?

Le recteur ne voyait pas ce qu'elle aurait eu à gagner, contre le souhait du fraudeur, à agir de la sorte. Et la mention à *Young Alice* rendait patent cette fois que le signataire, Charles Lutwidge Feinstein, et Lewis Nunn étaient un seul et même individu.

— Eh bien, comme j'ai dit, commenta le professeur, après une autre pause, assez théâtrale celle-là, la réponse à laquelle je suis arrivé est... déconcertante.

Cette réponse suggérait d'abord que la nature de cette personne inconnue, homme ou femme, à l'opposé du premier scénario, aurait été de moralité douteuse.

— De fait, insista Connelly, sans moralité aucune. Uniquement intéressée par la valeur pécuniaire de la confession et des cahiers. Prête à les vendre au plus offrant, sans égard à l'honnêteté ou à la justice...

— Je ne suis pas certain de vous suivre, dit son patron, en se renversant un peu sur sa chaise.

— Voilà. Il ne se trouvait qu'un seul acheteur disposé à payer à ce profiteur tous ces documents plus cher que n'importe quel collectionneur au cours d'une vente aux enchères. Une simple petite enquête aurait permis de l'identifier et, de surcroît, il disposait de moyens financiers à l'avenant.

— Et qui pourrait être cet obscur et étrange acquéreur ?

Connelly marqua une nouvelle pause, puis laissa tomber :

— Julius Harrisson.

— Qui ?

— Julius Harrisson, le premier héritier de Feinstein.

Cette fois, Berger, l'incarnation même de ce qu'on nomme le flegme britannique, eut un net mouvement de recul.

— J'espère, George, que vous n'avez pas envisagé d'avancer une telle raison dans le cadre de votre communication ?

— Bien sûr que non, le rassura l'intéressé. Cela me vaudrait un procès à coup sûr, que je perdrais d'ailleurs car je serais incapable de prouver ce que j'avance. Pensez-y, Marshall, la disparition de ces documents ne pouvait être bénéfique qu'à lui seul. Cette personne lui aurait vendu la confession et les cahiers, et monsieur Harrisson père les aurait ensuite détruits. Ce quidam n'aurait pas remarqué les empreintes au dos du papier couleur. Il l'aurait recollé tant bien que mal à la couvrure avant de revendre l'exemplaire. Un jour ou l'autre, cet exemplaire aurait fini par échouer chez ce commerçant, monsieur Russell.

Le recteur restait silencieux et perplexe, ce qui poussa Connelly à commenter :

— Je ne peux pousser plus loin ma recherche, Marshall. À moins d'enfiler un imperméable, de me coiffer d'un feutre et d'essayer de jouer à Sherlock Holmes.

— Pour retrouver cet inconnu ?

— Ou des preuves matérielles confirmant l'existence d'un autre auteur que Feinstein.

Le professeur se disait convaincu que, s'il avait bel et bien existé, cet auteur ne pouvait avoir fait autrement que d'en laisser : des versions préliminaires de l'œuvre, par exemple, ou une entente secrète entre lui et Feinstein, ou encore, des documents prouvant qu'il aurait été l'objet de chantage de sa part, etc.

— Et qui ce mystérieux auteur pourrait-il être ?

Connelly énuméra les candidats potentiels, mais en s'attardant un peu plus longuement sur Florence Tennyson.

— Elle est en elle-même un véritable mystère, rappela-t-il. Et, d'après moi, Marshall, elle est au cœur de toute cette affaire.

Là-dessus, Connelly lui fit part de l'argument relatif à son pseudonyme, avancé par plusieurs. Florence Tennyson se devait peut-être de demeurer dans l'anonymat le plus absolu, sous peine d'encourir des représailles de la justice si elle dévoilait sa vraie identité. Feinstein aurait alors agi comme prête-nom, de façon d'autant plus crédible qu'il avait une part indéniable dans la création du conte. Il aurait alors assumé, à la place de cette dame, les responsabilités et les charges liées au contrat de publication. Les redevances, qui lui étaient officiellement versées, il les lui aurait remises après qu'il eut pris pour lui-même un pourcentage convenu entre eux. Enfin, elle serait morte avant lui et, libéré de son contrat, Feinstein aurait empoché dès lors tous les droits et continué à jouir de la paternité de l'œuvre en toute impunité.

Connelly soupira et répéta qu'à l'instar de tous les chercheurs, il ignorait qui se cachait sous ce faux nom ; le registre des clients de l'hôtel Audley, à l'été 1894, ayant été détruit depuis belle lurette.

Ce fut au tour du recteur de se verser à boire et de prendre une gorgée d'eau.

— Vous savez, George, dit-il, pince-sans-rire, j'aurais presque envie de faire appel à un service d'enquêtes, après tout. Quoique je doute que l'université accorde des budgets pour engager des détectives.

Il se redressa sur sa chaise, tout en continuant d'afficher un air perplexe.

— Ce dont nous sommes certains, plaida encore Connelly, c'est que Charles Feinstein a écrit à cet imprimeur. Je rencontre Mark Higgins en début de semaine prochaine et il me confirmera de vive voix et par écrit l'authenticité des lettres en sa possession. Et nous savons avec certitude que l'écrivain a dissimulé à l'intérieur de ce livre un document dont la teneur est incroyable. C'est lui-même qui l'affirme.

Le chercheur écarta légèrement les bras, en exposant les paumes de ses mains en signe d'évidence :

— Alors, ce qui reste à déterminer est ce qu'il a pu révéler de si étonnant : aveu d'une relation coupable ou aveu d'une usurpation de droits d'auteur ?

Avant sa visite à Jessica Cohen, George Connelly aurait estimé les chances qu'il s'agissait d'un aveu d'usurpation de droits d'auteur à une contre quatre. Aujourd'hui, d'une manière très prudente, il disait les évaluer à trois contre cinq.

— Je ne veux pas réduire tout ceci à une simple estimation statistique, mais la validité d'une thèse, en grande part — vous serez d'accord avec moi, Marshall — est relative à son degré de probabilité.

— Higgins fut le premier expert consulté par le directeur du collège Duffin et vous ne pourrez faire autrement que de mentionner, en toute justice, son opinion, ainsi que les motifs qui la soustendent, prévint le recteur.

— C'est juste.

— Et vous ne pourrez expliquer à l'appui de votre opinion la disparition des documents ni présenter la moindre preuve matérielle.

— Cette communication me sera préjudiciable sur le plan professionnel, je vous l'accorde. Je perdrai un peu la face auprès de mes pairs. Mais je vous dirais : et puis après ? La recherche de la vérité ne mérite-t-elle pas un tel sacrifice ? Des invitations ont été envoyées aux médias pour la tenue de ce colloque, n'est-ce pas ?

— Oui.

Le recteur de l'université de Birmingham aimait à répéter qu'il ne fallait pas confiner les nouvelles connaissances aux prérogatives d'une certaine élite, mais plutôt les étendre au plus grand nombre. Les annonces dans les journaux et l'invitation à chaque participant à faire connaître dans son entourage les sujets abordés visaient ce but. L'accès aux ateliers restait réservé, mais pas celui aux communications. En règle générale, celles-ci attiraient peu de monde en dehors des universitaires, mais celle de Connelly allait sûrement faire exception.

— Et on peut penser que certains d'entre eux feront écho à ma conférence ?

— Je n'ai aucun doute à ce sujet.

— Alors, l'écho pourra peut-être se rendre aux oreilles de notre inconnu. Dans le cas où il aurait détruit ces documents pour une raison de censure, il sortira de l'ombre et avouera l'avoir fait. Je ne m'attends pas à ce qu'il agisse ainsi dans le cas où il aurait été coupable de complicité de fraude après le fait... mais, même alors, j'ai espoir que quelqu'un, parmi mes pairs ou dans le grand public, réussira à lever le voile sur l'identification de Florence Tennyson. Les preuves dont je vous ai parlé pourront peut-être alors être trouvées. Après tout, le but ultime, le seul qui compte pour nous, universitaires, n'est-ce pas la vérité, celle avec un grand « V » ? Et ne sommes-nous pas à son service ?

Marshall Berger secoua la tête admirativement devant tant de témérité, puis dit :

— Très bien, George, nous allons provoquer ce coup de théâtre.

16

Les nouvelles circulent vite, surtout quand elles sont mauvaises. Le titre de la communication du professeur Connelly parvint moins de quarante-huit heures plus tard aux oreilles de sir Paul Harrisson. Cette information lui fut transmise, inutile de dire, sous le sceau de la confidentialité la plus absolue. À son tour, le dignitaire ne voulut pas tarder à la transmettre à son homme de loi, et c'est pourquoi, en ce vendredi 24 mai, William Muller, à la demande de son client, se rendait à son manoir.

En comparaison d'autres petits châteaux anciens du voisinage, la demeure, située au beau milieu d'un domaine de quatre hectares, avait des proportions généreuses. Elle comptait une vingtaine de pièces réparties sur trois étages, sans inclure celui sous les combles dont une partie servait de logis à la cuisinière et à son mari, l'homme de peine. Dans le hall d'entrée, l'avocat fut accueilli par la secrétaire particulière du dignitaire. Sir Paul se trouvait sur la terrasse du jardin, informa-t-elle, et, comme cet invité connaissait la demeure, elle l'invita sans façon à aller le rejoindre.

La perspective sur la campagne anglaise à l'arrière du manoir avait quelque chose d'enchanteur, particulièrement en cette fin d'après-midi. Le temps était doux et le ciel, voilé par une masse nuageuse translucide, avait une luminosité hors de l'ordinaire. Le dignitaire, tout en continuant à inspecter les jardinières de pétunias posées ici et là sur la balustrade, convia son invité à s'asseoir sur une chaise de parterre.

William Muller, le regard tourné vers le spectacle qui s'offrait devant lui, attendit que son hôte lui fasse part de ce « très instructif coup de fil » qu'il lui avait dit avoir reçu mais dont il ne souhaitait lui parler qu'en personne.

— On m'a fait savoir, William, commença sir Paul tout en retirant ses gants de jardinage, qu'un certain professeur d'université défendra la thèse voulant que mon oncle ne soit pas l'auteur de *Young Alice*. Enfin, il remettra en question sa paternité littéraire.

— Oh...

— « Charles Feinstein est-il le véritable auteur de *Young Alice* ? » C'est le titre même de sa conférence. Et il la donnera pas plus tard qu'à la mi-juin, dans le cadre d'un colloque.

Sir Paul avait de nombreux contacts dans le milieu universitaire. Il s'agissait, pour la plupart, de représentants d'institutions bénéficiant de la générosité de la Société des garants de Lewis Nunn. La perspective de perdre un don important et récurrent est un puissant motif pour agir. Et l'un de ces représentants, que le hasard avait fait membre du comité organisateur dudit colloque, lui avait téléphoné la veille. Les informations transmises au cours de la dernière réunion par le président Marshall Berger étaient plutôt fragmentaires, mais cela importait peu à ce membre. Craignant que sir Paul le croie associé à la présentation de la communication du professeur Connelly, il avait jugé sage de s'en dissocier d'emblée auprès de son donateur. Par ailleurs, il ne pouvait être soupçonné d'être à l'origine de cette fuite par ses collègues parce que sir Paul, très dignement, avait tenu à ce que le don de sa société soit anonyme.

Cette nouvelle eut pour effet de concentrer le regard de Muller.

— Et savons-nous ce que ce chercheur... aurait découvert ? s'enquit-il.

— Non, on l'ignore. Ce comité se réunit pour discuter de l'organisation logistique de l'événement et non, comme de raison, du contenu des communications qui y seront présentées. À en juger par le titre, il ne semble pas avoir découvert grand-chose, n'est-ce pas ? À mon avis, nous avons affaire, William, à un présomptueux qui a eu la très malheureuse idée de faire un pari.

— Alors, Higgins a donné, après tout, une suite à sa manœuvre ? Il a parlé à ce professeur ?

— Selon mon informateur, c'est un directeur de collège dont il ignorait le nom qui l'a approché, corrigea sir Paul. Nul doute, il s'agit du même qui a d'abord approché Higgins. Il devait ne pas donner suite à sa découverte, mais il a dû apprendre, je suppose, que la crédibilité de notre ami n'était pas bien grande et il a voulu s'assurer de la validité de son opinion auprès de cet autre expert. Un dénommé George Connelly. Il enseigne à l'université de Birmingham, là où, incidemment, cette table ronde aura lieu.

Sir Paul Harrisson vint s'asseoir face à son avocat.

— Par ailleurs, William, ce professeur Connelly a déjà fait une demande pour consulter les archives de mon oncle. Je peux présenter la lettre qu'il a écrite à ce propos. Tout comme je peux présenter, au cas où il chercherait à le nier, le reçu de la poste qui fait foi de l'envoi de ma réponse, laquelle était une copie de l'acte de destruction.

Une petite recherche avait permis de retrouver un intéressant article qu'il avait signé à la suite de la publication de *Lettres et Pages de journal de Lewis Nunn*. Il y critiquait l'éditeur, Mark Spencer Higgins, mais l'héritier Harrisson n'y était pas non plus épargné.

— C'est tout juste s'il ne me traite pas de...

Il ne termina pas sa phrase et dit plutôt :

— Si vous portez un quelconque intérêt à cet article, William, une copie se trouve à l'intérieur de cette chemise.

Des yeux, il indiqua la couverture cartonnée qui reposait sur la table de parterre en fer forgé dont le dessus était en verre. Muller tendit le bras, ouvrit la chemise, en retira le document en question et en prit connaissance.

Quand il le remit à sa place, sir Paul décréta :

— Voilà, du coup, l'immunité dont il croit jouir envolée. Je désire, William, qu'une injonction soit émise.

— Une injonction ?

— Oui. Je désire qu'on émette une interdiction de publication une fois le titre de cette communication officiellement annoncé.

Un avis d'ajout au programme du colloque devait être envoyé au début de la semaine suivante aux participants et aux médias.

C'est à ce moment que le dignitaire souhaitait que la demande d'injonction soit déposée.

— Une précaution supplémentaire pour protéger ma source d'information, vous comprenez.

William Muller réfléchit un instant, perplexe.

— Eh bien, finit-il par dire, un magistrat sera curieux de nous entendre, comme l'a indiqué mon associé, mais pas nécessairement de trancher d'emblée en notre faveur. Et demander une interdiction de publication, c'est espérer cela, sir Paul.

Il marqua un temps, puis dit encore :

— Permettez que je consulte d'abord mon collègue Christopher. Je vous ferai part de son avis sans délai. Aujourd'hui même.

— Bien... Par ailleurs, soit dit en passant, William, nous n'en avons pas encore fini avec Higgins.

— Ah ?

— Mon interlocuteur n'a jamais mentionné son nom, mais c'est tout comme. Ce professeur Connelly n'a vu jusqu'à présent que des reproductions de lettres, les originaux étant dans les mains de celui à même de les authentifier. Et cette personne ne peut être que Higgins, n'est-ce pas ?

Le regard de Muller se concentra de nouveau.

— Il aurait donc, comme je le supposais, acheté les lettres à l'imprimeur ?...

— Oui.

— Et il serait capable, me dites-vous, d'en confirmer l'authenticité à ce professeur ?...

— Oui... Quoi ?

L'espace d'un instant, un nuage avait passé sur le visage de l'avocat.

— Rien, dit-il.

Sir Paul reprit :

— Parlant de Higgins, j'ai eu le temps, William, de repenser à la visite qu'il m'a rendue l'autre jour dans cette pièce.

De la tête, il indiqua les fenêtres au travers desquelles l'intérieur de la bibliothèque était visible.

— Il ne croit pas à cette histoire d'usurpation de droits d'auteur. Pas une seconde. Pourquoi ? Parce que la disparition des documents ne peut s'expliquer que d'une seule manière (Muller détourna le regard): la personne qui les a récupérés les a détruits pour protéger non la réputation de mon oncle Charles — il ne le méritait pas — mais tout bonnement la sienne. Et l'erreur de ce professeur Connelly d'en tirer la même conclusion va lui coûter cher.

L'héritier eut comme un soupir de lassitude.

— De tout temps, William, mon père et moi avons cherché à éviter que le vice de mon oncle ne soit connu. Surtout auprès des lecteurs de ses œuvres encore dans la fleur de l'âge.

Une petite rougeur de honte monta à son visage. Cette indignité qu'il ressentait du comportement déshonorant et répréhensible de son parent n'était jamais aussi vive que lorsqu'il pensait à ces jeunes lecteurs.

— ... Et nous l'avons fait, ajouta-t-il, contre sa propre volonté.

Plus tard, de retour à son bureau, William Muller, quoique préoccupé par des considérations beaucoup plus importantes à ses yeux que celles relatives à ce procès en diffamation, voulut d'abord tirer au clair avec son associé la demande d'interdiction de publication de son client. Christopher Shapiro prit connaissance du contenu de la chemise remise à son patron par sir Paul.

Il la lui remit au bout de quelques minutes, puis remarqua :

— Ce monsieur Connelly ne fut pas le seul à recevoir, en guise de refus, cette copie de l'acte de destruction, n'est-ce pas ?

— Assurément non.

— Et puis cet article, remarqua-t-il encore, est vieux de presque trois ans.

William Muller fit la moue.

— Un juge prendra en compte ce délai ?

Son associé eut un signe de tête affirmatif. L'obtention d'une injonction sur la base de preuves aussi faibles était selon lui improbable.

— « Aussi faibles » ? s'étonna maître Muller. Voulez-vous dire... qu'elles pourraient ne pas même être assez fortes pour prouver l'intention de nuire à sir Paul ? Toute cette action en diffamation ne peut être fondée que sur cette présomption, n'est-ce pas ?

— C'est juste. Et, de fait, à leur face même, ce refus, cet article pourraient ne pas réussir à convaincre un juge que ce professeur a été malveillant envers notre client. Parce qu'il faudrait alors qu'il déclare malveillant tout chercheur qui aurait reçu le même avis ou critiqué, d'une manière ou d'une autre, le livre de Higgins ; ou sir Paul de l'avoir choisi comme éditeur. Et il doit se trouver des individus fort respectables qui correspondent plus ou moins à ces critères. Quoique, ici...

Il interrompit le fil de ses cogitations pour reprendre :

— La date de ce colloque a été arrêtée avant que ce professeur soit informé de la découverte, n'est-ce pas ?

— Oui.

— Alors, il aura expédié sa recherche pour profiter de cette tribune publique. Pourquoi donc ? Certainement pas pour présenter, comme le titre de sa communication le suggère, de solides preuves à l'appui de son allégation. Alors, quoi ?

— Sa précipitation pourrait corroborer sa malveillance ? comprit Muller.

— Du moins, elle entachera sa bonne foi aux yeux du juge, modula Shapiro.

Bonne foi et immunité allaient de pair, souligna-t-il. L'immunité était accordée à une seule condition : que la pureté d'intention du prévenu ne laisse aucun doute dans l'esprit du tribunal. Et le tribunal déterminait l'absence de malfaisance en s'assurant que l'historien avait respecté les règles de sa profession.

— Comme de raison, la précipitation n'est pas l'une de celles-ci. En regard du moment opportun de publier, il faut faire montre de prudence ; c'est le propre d'une recherche bien conduite. Sera-t-elle un élément de corroboration suffisant, cependant ? Je ne saurais dire, William. Cela dépendra du juge qui présidera. Comme vous savez, ils ne sont pas tenus au mot à mot de la loi ; ils ont un pouvoir de discrétion.

Il y eut un silence, puis William Muller remarqua :

— De toute manière, pour le moment, nous n'avons pas le choix. Nous devons d'abord attendre que ce chercheur se commette.

— Très certainement.

— ... Inutile de vous dire, Christopher, confia-t-il, comme son jeune collègue s'était levé, que je me repose entièrement sur vous pour la conduite de cette demande en diffamation.

L'autre eut un signe d'acquiescement, puis sortit.

William Muller se leva de son fauteuil et se rendit près d'une des hautes fenêtres de son bureau. L'air pensif, il laissa errer son regard sur Harlington Avenue. Quoique le soleil était encore haut dans le ciel, l'heure de pointe battait son plein sur cette importante artère du quartier des affaires où était situé son cabinet. Le flot de voitures et de passants sur les larges trottoirs, environ six mètres plus bas, était à la fois impressionnant et exaspérant.

Higgins avait donc fait l'achat des lettres, se disait-il. En outre, il allait être celui qui allait les authentifier... Après tout, il fallait reconnaître qu'il était le seul — enfin, le seul encore vivant — à s'être longuement penché sur les archives de Feinstein. Sir Paul n'avait parcouru que du regard les papiers de son oncle et une seule fois, intéressé par les seuls passages offensant la morale. Sans porter de véritable attention aux caractéristiques graphiques de son écriture... Higgins, lui, pendant six semaines, plusieurs heures par jour, avait lu, relu et relu encore ces archives. Il les avait étudiées, analysées.... Il avait donc pu remarquer une ou plusieurs particularités très subtiles, voire uniques, et, de ce fait, aurait été en mesure de déterminer l'authenticité de cette écriture.

« Ou, à l'inverse... se reprit Muller presque à haute voix, leur fausseté. »

Higgins était un individu sans scrupule animé par un esprit de vengeance. Il avait beaucoup compté sur l'influence de sir Paul pour devenir professeur au collège Rickley, mais le seul bon mot qu'il avait jamais obtenu du dignitaire fut celui de la préface de

Lettres et Pages de journal de Lewis Nunn. Il n'était donc pas impossible qu'il eût cherché à faire chanter sir Paul à partir de lettres qu'il savait contrefaites, sachant fort bien que le dignitaire ne s'en rendrait pas compte. Du reste, il aurait pu se dire que si jamais on réussissait à prouver la falsification, il n'aurait alors qu'à prétendre qu'il les avait crues authentiques. Personne ne pourrait le poursuivre en justice pour une erreur d'expertise.

Par ailleurs, continuait à considérer Muller, il ne fallait pas non plus exclure la possibilité que Higgins aurait pu lui aussi être trompé par d'excellentes imitations. Il aurait jugé que les formes littérales correspondaient à son souvenir...

L'avocat secoua la tête avec accablement, puis retourna s'asseoir à son bureau. Il fixa un instant le combiné de son téléphone, toujours un peu songeur, puis il le décrocha d'un geste résigné et demanda à Ann, sa secrétaire, de le mettre en communication avec sir Paul Harrisson.

Une minute plus tard, la voix de ce dernier se faisait entendre dans l'appareil. L'avocat lui fit part des raisons à l'encontre d'une demande d'interdiction de publication. Le dignitaire maugréa, mais se conforma, à la fin, au conseil de son homme de loi de ne pas réclamer d'injonction.

Puis, après une pause d'hésitation, l'avocat soumit cette question à son client :

— Est-ce que les archives que vous m'avez fait parvenir il y a trois ans, sir Paul, constituaient tout ce que votre oncle avait écrit ?

Il y eut un silence d'étonnement à l'autre bout du fil et l'avocat, un peu plus hésitant, reformula sa question, ajoutant, en guise de justification :

— Je veux seulement vérifier si, par hasard, vous auriez encore en votre possession des textes de sa main d'une certaine longueur.

Après un autre silence, sir Paul finit par répondre, sur un ton plutôt sec :

— Non, William. Je n'ai certainement plus d'écrits de mon oncle en ma possession.

17

Les raisons pour lesquelles le professeur George Connelly ne tenait pas en grande estime l'éditeur de *Lettres et Pages de journal de Lewis Nunn* étaient nombreuses. Ainsi, à l'instar de plusieurs de ses confrères, il avait jugé le travail d'édition de Higgins de piètre qualité. « Un étudiant n'aurait pas fait pis », avait-il laconiquement commenté. Il lui reprochait d'avoir « accepté des conditions inacceptables ». Un chercheur expérimenté aurait eu pour premier souci, selon lui, de chercher à convaincre le légataire de ne pas restreindre son accès aux archives.

Autant, sinon plus, que les lettres et l'ensemble des registres du journal, les manuscrits des œuvres, estimait-il, étaient des matériaux de premier ordre pour comprendre l'écrivain. À travers les ratures, les ajouts, les nouvelles formulations, etc., on peut suivre le cheminement de l'acte créateur.

Non seulement Higgins n'avait-il pas insisté pour compulser l'ensemble des papiers de Charles Feinstein, mais encore il s'était montré complaisant face à la trop grande réserve du légataire, que Connelly n'était pas loin d'associer alors à de la pruderie. « Ces passages qu'on a censurés, notait-il encore, qui ne pourraient choquer autant aujourd'hui, auraient sans doute permis, plus que ceux qui furent publiés, de mieux comprendre l'auteur. »

Connelly n'estimait ni l'éditeur ni l'homme. Après la sortie de *Lettres et Pages de journal de Lewis Nunn*, malgré le peu de bien qu'il pensait de Higgins, il avait tout de même demandé à le rencontrer. Après tout, il pourrait peut-être tirer de sa connaissance des archives des renseignements précieux. Mais, tel qu'il l'avait souligné au directeur du collège Duffin, sa rencontre avec lui n'avait pas été « des plus mémorables ».

Le jeune professeur auxiliaire avait montré peu d'intérêt face à ses questions et les réponses qu'il lui avait données avaient été des plus succinctes. Le plus souvent, elles se résumaient à: « Je l'ignore », « Je ne saurais dire », ou « Je ne sais pas ». Connelly avait eu l'impression de lui arracher les mots de la bouche. Toutes les heures qu'il avait consacrées à la préparation de cette rencontre et l'enregistrement qu'il avait cru prudent de faire des réponses de Higgins avaient été inutiles. À la fin, avant de le quitter, par dépit et malgré lui, il avait eu un mot un peu méchant à son endroit.

Aujourd'hui, ce mot venait le hanter comme il rencontrait le jeune universitaire dans ce même petit bureau au rez-de-chaussée du collège Rickley.

Pour effacer de la mémoire du rouquin le mauvais souvenir qu'il lui avait laissé trois ans plus tôt, Connelly voulut se montrer d'emblée aimable. Le portrait du jeune footballeur et de lui-même qui trônait sur son bureau lui en fournit l'occasion. Comme il ne pouvait s'agir ni de son fils, parce qu'il était trop vieux, ni d'un frère, parce qu'il était trop jeune, Connelly risqua:

— Votre neveu ?

Higgins confirma d'un signe, mais éluda les autres questions sur son jeune parent. Autant il le chérissait, autant il ne sentait pas le besoin d'extérioriser l'affection qu'il lui portait.

Connelly n'insista pas et, sans plus tarder, aborda le sujet qui l'amenait.

— Tel que je vous l'ai mentionné au téléphone, commença-t-il avec circonspection, monsieur Thornhill m'a également consulté relativement à cette découverte. Il m'a fait part de l'opinion que vous lui avez exprimée: celle voulant que le document auquel Charles Feinstein fait allusion dans son mot soit l'aveu d'une relation sexuelle avec une mineure. Je vous avoue, monsieur Higgins, que je ne partage pas cette interprétation, bien que je reconnaisse volontiers qu'elle n'est pas sans fondement.

Le petit sourire désinvolte que son hôte afficha incita George Connelly à couper court aux circonlocutions. Il avait cru approprié d'exprimer sa divergence d'opinion sur la découverte en prenant certains détours dans le but de ménager l'autre, mais le professeur auxiliaire ne semblait pas le moins du monde offusqué par ce désaccord.

— Lorsque j'ai fait part de mon point de vue, professeur, fit-il, comme pour justifier son détachement, j'ai formulé cet avertissement : « Il s'agit d'une hypothèse ». Conséquemment, je ne suis pas du tout surpris qu'il ait cherché à obtenir un second avis, lequel... différerait du mien ?

— En effet.

George Connelly marqua un temps, puis exprima :

— Pour une raison que vous ne tarderez pas à comprendre, monsieur Higgins, je vous demanderais de garder pour vous-même cette opinion.

— Entendu.

— Voilà... Je suis d'avis que Feinstein avoue dans ce document ne pas être l'auteur de *Young Alice*.

L'impassibilité de Higgins face à cette révélation ne surprit guère George Connelly, car il soupçonnait que le jeune professeur auxiliaire avait dû lui-même la supposer. Il n'en fut pas moins sur ses gardes : allait-il lui demander de s'expliquer alors sur la disparition des documents ? Le rouquin se fit coi et Connelly en fut soulagé : il n'avait aucune intention de lui donner l'explication selon laquelle Julius Harrisson aurait pu les détruire et il s'était préparé à éluder ses questions sur le sujet.

Après une profonde inspiration, comme s'il s'apprêtait à se lancer à l'eau, il dit encore :

— Vous êtes informé, j'imagine, de la tenue du colloque sur la période victorienne à la mi-juin ?

Mark Higgins fit oui de la tête.

— C'est mon intention, déclara résolument le professeur de Birmingham, de profiter de cette tribune pour exposer cette opinion.

Le même sourire amusé que tout à l'heure réapparut sur les lèvres de Higgins.

— Ça va faire du bruit, observa-t-il.

— Je ne vous le fais pas dire, corrobora fièrement le petit homme, qui sourit à son tour pour la première fois.

Il marqua un temps, puis demanda, avec une certaine fébrilité :

— Puis-je les voir ?

Sans un mot, son interlocuteur ouvrit un tiroir, en tira les originaux des lettres à l'imprimeur Seltz et les déposa devant le chercheur.

Pendant quelques secondes, Connelly, immobile, comme figé par l'émotion, fixa les lettres, ravi et incrédule. Enfin, se disait-il, il était en présence d'autographes de Feinstein un peu substantiels.

— Monsieur Thornhill n'a pas dû beaucoup aimer que je ne le rappelle pas, remarqua Higgins, qui s'était levé pour aller prendre sur une desserte à l'équilibre chancelant une cafetière à infusion d'où émanait une odeur suave.

Se versant à boire, il ajouta sur un ton presque de bonhomie :

— Je ne désirais pas subir son courroux pour lui avoir ainsi coupé l'herbe sous le pied, vous comprenez ?

La question ne visait pas à connaître la seule réaction de son visiteur, mais un peu aussi, crut comprendre ce dernier, celle du directeur du collège Duffin.

— Il m'a informé, répondit diplomatiquement Connelly, en faisant un effort pour détacher ses yeux des feuilles de papier, que vous aviez fait l'acquisition des lettres, que vous en étiez le nouveau propriétaire. Sans plus.

Puis, comme pour éviter de paraître complaisant, il ajouta :

— S'il éprouve ou a éprouvé quelque ressentiment envers vous, il n'en a pas fait montre devant moi.

Higgins parut satisfait de cette réponse et vint se rasseoir devant son bureau.

— À force d'examiner la correspondance de Feinstein, j'en suis venu à apprécier ces vieux papiers et n'ai pu résister à la tentation de m'approprier ces trop rares spécimens.

Connelly marqua sa compréhension de légers signes de tête, quoiqu'il soupçonnât que Higgins avait dû le faire dans un but mercantile.

— Vous permettez? fit-il, indiquant du regard les lettres, tout en glissant la main à l'intérieur de son veston pour en extirper ses verres.

— Prenez tout votre temps.

Le chercheur chaussa ses lunettes et prit la missive du dessus. Il en connaissait presque par cœur le contenu, mais il la relut consciencieusement. Il fit de même avec les deux autres. Puis, les remettant à son hôte, il demanda :

— Sauf erreur, elles sont identiques aux lettres que vous avez examinées en vue de la publication d'une partie de ses archives?

Higgins, qui avait porté sa tasse à ses lèvres, prit une gorgée de café, puis, d'une voix posée, répondit :

— En tous points.

— Pour me plier aux formalités d'usage, j'ai préparé un petit document qui stipule que l'éditeur de *Lettres et Pages de journal de Lewis Nunn* a examiné ces lettres et en a confirmé l'authenticité. Accepteriez-vous de le signer?

Le professeur auxiliaire avait compris que c'était là la raison même de la visite de ce chercheur, qui, en toutes autres circonstances, n'aurait pas osé remettre les pieds dans son modeste bureau. Il marqua un temps, puis dit :

— Cela va de soi.

Le petit homme ouvrit sa serviette, en extirpa le document en question et le lui remit. Higgins commença à le lire, puis eut un froncement de sourcils presque imperceptible.

— Quoi?

— Rien, dit Higgins.

Il poursuivit sa lecture jusqu'à la fin, signa rapidement et remit le tout à son visiteur.

C'est une mention particulière, au milieu du document, qui l'avait fait sourciller une fraction de seconde : « ... leur authenticité a été confirmée à la suite également d'un examen du papier, lequel correspond au papier à lettres de Charles Lutwidge Feinstein ».

George Connelly avait trouvé approprié de le préciser dans le document d'authentification, suivant l'information à ce sujet que lui avait fournie Peter Thornhill.

— Verriez-vous un inconvénient, monsieur Higgins, à être présent à l'occasion de ma communication? Durant la période d'échanges qui suivra, des questions relatives aux lettres pourraient être posées et vous seriez, pour certaines d'entre elles, plus habilité que moi à y répondre. Votre inscription au colloque se ferait à titre gracieux.

Higgins prit une seconde gorgée de café, puis dit :

— Je veux bien. Quand au juste entendez-vous prononcer cette conférence?

— Le dernier jour, le mercredi 12. En après-midi.

Higgins posa sa tasse et ouvrit l'agenda placé sur le dessus de son bureau, lequel présentait sur chacune des pages qui se faisaient face une période d'une semaine. Il tourna à celle allant du dimanche 9 juin au samedi 15 juin 1963. Connelly ne pouvait lire à distance et à l'envers l'écriture de son interlocuteur, mais il put néanmoins remarquer que, dans la colonne du mercredi, en après-midi, quelque chose avait été gribouillé.

— Désolé, dit Higgins, consultant cette entrée à son agenda. Je serai déjà en route pour Manchester à ce moment-là.

Il referma son agenda.

— Oh. Ce déplacement ne pourrait-il pas être reporté?

— Je crains que non.

Connelly n'avait pas anticipé que Higgins puisse refuser. Après tout, sa présence à la conférence aurait favorisé le but spéculatif qu'il poursuivait. Il resserra les lèvres. Higgins n'avait sans doute pas oublié le mot méchant qu'il lui avait dit trois ans plus tôt.

— Il y a ce tournoi de rugby auquel mon neveu participe, expliqua-t-il, et je lui ai promis de l'accompagner.

Le professeur le fixa, d'abord incrédule, puis, voyant le rouquin soutenir son regard avec une espèce de gravité sereine, il en vint à penser qu'il disait sans doute vrai.

18

Le mercredi 12 juin, Jessica Cohen et son vigilant accompagnateur Alexander Zalaski arrivèrent sur les lieux de la conférence en avance sur l'horaire. À ce moment, il ne se trouvait dans l'auditorium de l'université de Birmingham qu'une dizaine de personnes, dont les deux employés chargés de la mise en place, lesquels étaient à compléter les derniers préparatifs. Le Hongrois aida madame Cohen à quitter son fauteuil roulant et à s'asseoir à la première rangée, car elle ne risquait pas ainsi d'avoir à se lever pour laisser passage à d'autres.

Après avoir demandé à l'un des préposés la permission de ranger le fauteuil dans un coin, il sortit dans le corridor pour fumer. Quelques minutes plus tard, il voyait s'approcher un homme portant en bandoulière une grosse serviette de cuir et arborant, comme il passait devant lui, une carte de presse sur son veston.

Sur le seuil de la porte, le reporter avisa le peu de gens présents dans la salle et consulta sa montre-bracelet d'un air perplexe.

— Quelle heure avez-vous ? demanda-t-il, en se retournant.

— Quatorze heures vingt, informa le Hongrois. La conférence débutera dans une quarantaine de minutes. Vous êtes journaliste ?

— Si. Pour l'*Evening Post*.

Le reporter pénétra dans l'auditorium, tout en rajustant sa montre. Zalaski le vit déposer son sac sur un siège à proximité de celui de sa patronne et revenir vers le corridor, en tirant son étui à cigarettes d'une poche de son veston.

— Que diriez-vous d'avoir, en exclusivité, un bon sujet de reportage, monsieur le journaliste ? demanda Zalaski, en lui présentant la flamme de son briquet.

— Un bon sujet de reportage ? répéta l'autre sur un ton neutre, habitué qu'il était à croiser des individus cherchant à faire les intéressants sitôt informés de son métier.

— Le nom du véritable auteur de *Young Alice*. Rien de moins.

Le reporter tira une longue bouffée, tout en le fixant d'un air inquisiteur. Puis, il remarqua, sur un ton lui aussi tranquille :

— À en juger par le titre de cette conférence, il ne semble pas même certain qu'il y ait un autre auteur.

— Vous connaissez la réserve de ces chercheurs ! objecta Zalaski. À moins de toucher une chose du doigt...

Là-dessus, il se présenta, puis modifia la manière d'aborder son sujet :

— Vous avez remarqué cette dame assise à la première rangée ? Il s'agit de ma patronne et bienfaitrice, Jessica Cohen. La fille d'Alice Levine.

Son auditeur, attentif mais distant, eut une imperceptible réaction : celle de quelqu'un perdant soudain le fil de la conversation.

— À l'origine de cette affaire, expliqua Zalaski, il y a ce bouquin où se trouvait dissimulée, si on peut dire, la pièce à conviction. Comme vous l'apprendra le conférencier, cette pièce concerne très probablement l'aveu de Charles Feinstein de ne pas être l'auteur de *Young Alice*. Et ce vieux livre, il l'a expédié à Alice Levine... Maintenant, je vous le demande : à qui d'autre pouvait-il faire parvenir cette confession, sinon à la première représentante du véritable auteur ?

Très préoccupé par la question d'héritage, le Hongrois d'origine avait fait des recherches à cet égard. À l'époque, Alice Levine était seulement héritière colatérale car il se trouvait, en 1927, un autre représentant classé avant elle dans l'ordre de succession : son père. Mais le docteur Robert Levine n'avait plus alors d'adresse connue, avait-il appris.

— Et ce véritable auteur serait ? s'enquit le reporter, dont la curiosité était piquée.

— La sœur aînée de la mère de ma patronne, Elizabeth Levine, morte avant de pouvoir en revendiquer la paternité littéraire.

Le journaliste eut un petit sourire en coin : son interlocuteur, bénéficiaire à quelque degré, comprit-il, avait une bonne raison de le croire.

Quarante minutes plus tard, le professeur George Connelly glissait dans sa serviette de cuir souple le texte de sa communication, l'exemplaire de 1927 de *Young Alice* et plusieurs autres papiers, puis sortait de son bureau. Dans le corridor, près de l'entrée de l'auditorium, il vit une connaissance se détacher d'un petit groupe de personnes et venir à sa rencontre.

— C'est bondé ou presque, l'informa celle-ci. Et beaucoup de monde du grand public.

Quand il pénétra dans l'auditorium, le murmure de la salle se fit un rien plus audible et Marshall Berger, occupé à relire, assis derrière la longue table sur l'estrade, sa courte note de présentation, leva les yeux. En voyant le chercheur, il le salua d'un imperceptible hochement de tête.

George Connelly alla serrer la main de Jessica Cohen.

— Grâce à vous, professeur, dit la dame d'une voix émue, une grande injustice sera enfin réparée.

À l'évidence, comprit le professeur, elle supposait que l'injustice avait été commise au détriment de celle dont elle héritait. Il se garda cependant de lui faire part que sa candidate n'était pas Elizabeth Levine. De toute manière, elle n'allait pas tarder à l'apprendre.

Un peu plus loin, le conférencier aperçut Peter Thornhill lui faire signe. Il s'excusa auprès de Jessica Cohen et alla rejoindre le directeur du collège Duffin.

— Permettez-moi de vous présenter, fit celui-ci avec un geste en direction des deux personnes assises à côté de lui, le propriétaire de notre fameux exemplaire, monsieur David O'Connor, et son épouse.

Le professeur serra la main de ceux-ci, puis demanda au directeur, chargé aussi d'inviter James Gardiner, où se trouvait ce dernier.

— Je n'ai pas réussi à le joindre, répondit le directeur. La dernière fois que je lui ai parlé, il disait vouloir visiter une parente à Chichester. Il doit s'y trouver.

Un moment plus tard, George Connelly marchait vers l'estrade. Il échangea une poignée de main avec le président du colloque, déposa le contenu de sa serviette sur un coin de la table, puis se dirigea vers une seconde table, plus petite et sur laquelle se trouvait un projecteur pour diapositives. Il vérifia, une dernière fois, le contenu du carrousel. Il avait fait faire une dizaine de tirages photographiques destinés à être projetés sur écran : les sillons curvilignes sur la page de faux titre de l'exemplaire ; les reproductions des lettres à l'imprimeur ; le mot, accompagné de son post-scriptum, tel qu'il se présentait d'abord à la vue, puis tel qu'on pouvait le lire une fois à l'endroit ; etc.

Il fit fonctionner un bref instant l'appareil — l'image reproduite, malgré l'éclairage, était nette —, puis il le referma.

— Tout est prêt ? demanda Marshall Berger comme le professeur, revenu sur ses pas, s'asseyait à ses côtés.

— Oui. Tout est prêt.

Le recteur se leva et, d'une voix forte et claire, faisant fi d'un micro, il annonça :

— S'il vous plaît. Nous allons bientôt commencer...

Trois ou quatre personnes, restées debout à causer entre elles tout à l'avant de la scène en attente de ce signal, montèrent sur l'estrade. Depuis un moment, leurs appareils d'enregistrement reposaient sur un coin de la table principale. Elles les mirent en marche. Toutes ces personnes étaient journalistes sauf une, maître Christopher Shapiro. L'associé de William Muller regagna tranquillement son siège, puis nota dans un calepin les noms des journalistes à qui il avait fait la conversation. Si jamais cela se révélait nécessaire, ceux-ci pourraient être cités comme témoins dans cette cause en diffamation.

Le tumulte avait cessé et Marshall Berger, parlant toujours debout sans microphone, souhaita la bienvenue à tous, se présenta, puis dit :

— Les chercheurs ne sont pas là pour annoncer des certitudes, mais pour partager des connaissances et proposer des hypothèses...

La question posée par le professeur Connelly : « Charles Feinstein est-il le véritable auteur de *Young Alice* ? » a été soulevée avant la fin du siècle dernier, c'est-à-dire dès 1899. Elle n'a cependant jamais été aussi sérieusement abordée que maintenant. Comme vous verrez, des écrits de Charles Feinstein récemment mis à jour jettent une autre lueur sur cette question. Une réponse, définitive celle-là, pourrait bientôt en résulter. Du moins, c'est là le but poursuivi par le conférencier en vous livrant cette communication.

Le professeur George Connelly prit alors la parole et son acte de bravoure dura un peu plus d'une heure.

Une fois de retour de la conférence, Christopher Shapiro en traça d'abord les grandes lignes à William Muller, qui l'écouta sans l'interrompre. De cette entrée en matière de son associé, l'avocat retint spécialement ceci : la défunte Alice Levine, à qui l'exemplaire avait été envoyé et qui était connue jusque-là sous l'acronyme de « Heda », n'avait pas déchiffré l'énigme de Feinstein. De plus, on s'était départi de son livre sans prendre la peine de remarquer le numéro au dos ou de s'en souvenir.

Il continua à se taire quand son associé aborda les éléments relatifs à l'action en justice pour laquelle sa compétence avait été requise.

— La tâche sera ardue pour cet universitaire, William. Même face à un juge très indulgent.

Connelly avait péché à trop de reprises contre les règles de sa profession, disait-il, pour espérer qu'un tribunal croie à la pureté de ses intentions. Ainsi, il avait non seulement précipité sa recherche mais, à vrai dire, il n'en avait effectué aucune. Son allégation que l'oncle de leur client ne serait pas l'auteur de *Young Alice* reposait sur des conjectures, des suppositions. Il ne disposait pas de la moindre preuve matérielle. Les documents dont il avait fait mention — ces versions préliminaires du conte écrites d'une autre main, ou cette entente secrète sur le partage des droits d'auteur entre Feinstein et l'autre auteur, etc. — n'étaient que vues de l'esprit. Et puis, cette

Florence Tennyson, la plus probable des candidates à la paternité de l'œuvre, était seulement un nom, et pas même cela, un simple pseudonyme. Sa réelle identité restait un mystère. Enfin, Connelly n'avait pas été en mesure d'expliquer, relativement à une possible usurpation de droits d'auteur, la disparition des documents de Feinstein. Pourtant, il se trouvait une explication — qu'il avait lui-même soumise —, en l'occurrence la déviance sexuelle.

William Muller, homme secret et prudent s'il en était, eut un bref cillement, sans plus. Tant et aussi longtemps que sa propre explication à ce sujet demeurait une hypothèse, il ne souhaitait pas mettre une autre personne que sa femme dans la confidence.

Il se contenta donc d'approuver d'un signe de tête le rapport de son associé, puis demanda, par pure forme :

— Alors, c'est Higgins qui a fait l'acquisition des lettres ?

— Oui.

Le conférencier ne s'était pas contenté de voir les reproductions que lui avait présentées le directeur du collège Duffin. Il avait aussi tenu à voir les originaux et à se faire confirmer leur authenticité. Et c'était en effet le professeur auxiliaire du collège Rickley qui était en leur possession. Par son expertise unique des archives de l'oncle de leur client, Higgins lui avait certifié qu'elles étaient de la main de Charles Feinstein.

— Et... savons-nous de qui monsieur Higgins les a achetées ?

L'associé fit oui de la tête et consulta une fois encore ses notes.

En présentant les reproductions des lettres, le professeur Connelly avait rappelé l'historique des événements ayant conduit à la découverte des missives inédites. Il avait alors désigné celui qui les avait récupérées de la corbeille à papier de l'imprimeur Seltz.

— Il s'agit d'un ancien employé de l'imprimerie. Un dénommé Gardiner. James Gardiner.

19

Le lendemain, jeudi 13 juin, en matinée, un colis dont l'expéditeur était Muller et Associés, avocats fut apporté par courrier express au manoir de sir Paul Harrisson. Le dignitaire était en attente de cette livraison et avait demandé qu'on lui apporte le paquet sans tarder. Après avoir exprimé le désir de ne pas être dérangé, il alla s'enfermer dans la bibliothèque. Là, il déchira l'emballage. Dans la petite boîte de carton, il trouva la bande magnétique. La veille, William Muller l'avait mis au courant des derniers développements. Cette action en diffamation était fondée et la procédure contre le professeur Connelly n'allait pas tarder à être enclenchée. Sir Paul avait exprimé sa satisfaction, et aussi le souhait d'obtenir une copie de l'enregistrement de la conférence.

Il inséra la bande dans le magnétophone et, pour une audition plus discrète encore, il utilisa un petit écouteur. À la fin, après l'avoir fait jouer dans sa totalité, il la retira de l'appareil. Il la remit dans la boîte et glissa celle-ci dans un tiroir de son bureau. Puis, l'air pensif, il se renversa dans son fauteuil.

Ces propos, tenus publiquement et insinuant que son oncle n'était pas l'auteur de *Young Alice,* lui déplaisaient souverainement, mais il gardait la tête froide. Après tout, depuis la visite de Mark Higgins un mois plus tôt, il avait commencé à se faire à l'idée : une fois de plus, on pouvait remettre en question la paternité de l'œuvre qui faisait aujourd'hui sa fortune. Cette idée s'était davantage précisée, deux semaines plus tard, à la suite de la confidence l'informant que le professeur Connelly prononcerait une conférence en ce sens. Puis, le surlendemain, l'annonce qu'une interdiction de publication n'était pas légalement faisable avait eu raison de ses derniers espoirs d'éviter cet affront public.

L'essentiel de toute cette affaire, tel qu'il l'avait supposé, se résumait ainsi : l'aveu de son oncle concernait une relation avec une mineure. Le défaut de cet inconnu de dévoiler les documents disparus était la preuve qu'ils ne pouvaient être relatifs à une usurpation de droits d'auteur. Comment aurait-il pu autrement s'abstenir de les rendre publics ? N'était-ce pas d'ailleurs la question centrale à laquelle le conférencier n'avait pu lui-même répondre ?

Un moment plus tard, l'héritier téléphona à William Muller et l'informa avoir modifié, dans sa forme, la manière de traiter cette affaire. Il entendait toujours traîner en cour ce professeur Connelly pour diffamation mais, noblesse oblige, il allait le faire avec dignité. Il ne rendrait aucun des appels téléphoniques laissés à la Société (la plupart de ces coups de fil émanaient de journalistes curieux de connaître sa réaction à la suite de la conférence) et s'abstiendrait de tout commentaire public d'ici la fin du procès. Il parlerait plutôt par ses actions et son habituel comportement de diplomate. Par exemple, une fois par semaine, il dînait dans un restaurant français de grande réputation et il souhaitait qu'on le voie là, comme d'habitude, ce dimanche. Il n'y serait pas seul cette fois : il serait en compagnie de ses avocats.

— Pas de doute, les potins feront le reste, William, prédit-il. Très probablement le lendemain, il y aura un entrefilet dans le journal disant que j'ai été aperçu à *L'Auberge d'Ergal* conversant calmement avec mes avocats.

Il était capable aussi, disait-il, de se servir des médias.

Comme l'abonné James Gardiner ne répondait toujours pas au téléphone, William Muller décida de se rendre, vers la fin de la matinée, à l'adresse mentionnée au bottin. Il voulait à tout le moins s'assurer auprès de voisins qu'il s'agissait bien de son homme.

C'était le cas, comme l'en informa la dame chargée de relever son courrier en son absence. L'ex-employé de l'imprimerie Seltz Brothers and Others, lui apprit-elle, était à Chichester. Elle lui donna le numéro de téléphone où le joindre.

Au bout du fil, le vieil homme chercha d'abord à faire comprendre que toute cette histoire de lettres et d'édition numérotée ne le concernait plus, mais Muller se fit insistant et l'ancien relieur consentit à le rencontrer. L'avocat partit pour la capitale du West Sussex dans l'heure suivante. Il arriva à l'intersection des deux artères principales de la ville, appelée Market Cross, juste un peu avant que les cloches de la cathédrale ne sonnent les douze coups de midi. Après s'être arrêté au bureau de poste pour s'informer, il garait, cinq minutes plus tard, sa voiture en face d'une maison de deux étages, modeste mais coquette, de Shelton Street.

C'est James Gardiner, qui avait attendu quelque peu anxieusement sa visite, qui vint ouvrir. Il fit entrer l'avocat, lui présenta sa sœur, une dame bien-portante au visage accueillant, puis le fit passer dans le jardin situé à l'arrière de la propriété. Les deux hommes s'installèrent sur des chaises de rotin placées à l'ombre d'un grand chêne. Le relieur retraité répéta être étonné que l'avocat se soit déplacé depuis Londres pour le voir. En outre, au sujet de lettres qui ne lui appartenaient plus.

Muller, s'abstenant de relever ce commentaire, demanda plutôt :

— Je crois savoir, monsieur Gardiner, que vous avez récupéré ces lettres de la corbeille à papier de monsieur Seltz ?

— Oui, c'est le cas... Voyez-vous, j'étais dans son bureau quand il les jeta toutes les trois.

C'était à la fin de mai 1927, dans l'après-midi, précisa-t-il.

— On est venu porter à monsieur Seltz la boîte des exemplaires retournés par Feinstein. En termes guère aimables, dans la lettre glissée à l'intérieur de la boîte, il ordonnait de parachever leurs couvertures. J'ai vu alors mon patron, très offusqué, jeter la lettre dans la corbeille, ouvrir le tiroir de son bureau dans lequel il avait conservé les deux premières et les jeter aussi.

— Ces deux premières lettres étaient-elles accompagnées de leurs enveloppes ?

— Non, monsieur Seltz n'avait gardé que les lettres.

— Cette adresse où les exemplaires avaient été expédiés, la connaîtriez-vous, monsieur Gardiner ? Vous serait-il possible de me dire s'il s'agit de celle-ci ?

L'avocat venait de sortir de son portefeuille un bout de papier et le lui tendait. Sur celui-ci était inscrit : « 51, Old Sandwich Road, Lowestoft, Suffolk County ».

— Était-ce l'adresse de monsieur Feinstein ? demanda le vieil homme, en fixant le papier avec un regard vide.

— Oui...

— Alors, il ne peut s'agir que de celle-ci, n'est-ce pas ?

L'avocat eut un sourire embarrassé.

— Ou... peut-être n'était-ce pas une adresse véritable ? insista-t-il. Comme, par exemple, une boîte postale ?

Son interlocuteur hocha la tête en signe d'ignorance.

— Je ne saurais dire.

— Dommage. J'avais espéré que vous auriez pu le déterminer.

L'homme de loi replaça le papier dans son portefeuille, se leva.

— Je vous remercie quand même, monsieur Gardiner. Et excusez-moi du dérangement.

— Est-ce tout ? s'enquit, un peu étonné, le retraité.

— Oui.

Sur le pas de la porte, l'avocat sortit sa carte professionnelle et la lui remit.

— Tenez. Au cas où...

Le vieil homme marqua un temps et regarda son visiteur avec une insistance lucide. Puis, comme si une vérité que l'autre n'avait pas osé lui dire se faisait jour, il demanda, hésitant et anxieux :

— Je pourrais être... inquiété, selon vous ?

L'avocat marqua un temps, puis :

— Vous n'avez jamais révélé à votre patron que vous aviez récupéré ses lettres, n'est-ce pas ?

James Gardiner baissa le regard, puis hocha négativement la tête.

William Muller avait eu tout le loisir de réfléchir à ce fait, plutôt étonnant : le possesseur des lettres avait gardé pour lui-même, durant toutes ces années, l'existence de celles-ci. Pourquoi, sinon peut-être parce qu'elles ne lui appartenaient pas ?

— Les avait-il réclamées ?

Le retraité eut un profond soupir.

— Oui... Le soir de cet incident, une de ses connaissances lui reprocha son geste, disant qu'il venait sans doute de jeter à la poubelle des centaines de livres sterling. Le lendemain matin, il trouva des papiers dans la corbeille, mais pas les lettres. Il me fit venir alors à son bureau, puis tous les autres employés, pour nous interroger à ce sujet. Je n'ai pas osé admettre que c'était moi et me suis promis, dès lors, de ne jamais en parler de son vivant.

Le retraité les avait presque oubliées mais, récemment, il y avait eu ces deux coups de téléphone. D'abord, d'un certain monsieur Sheldon, bibliothécaire en chef au collège Duffin, et, un peu plus tard, le même jour, de son supérieur, monsieur Peter Thornhill. Monsieur Seltz étant mort depuis des années, il avait présumé qu'il n'y avait plus lieu de taire l'existence des lettres. Il avait donc accepté de recevoir le directeur de l'institution. Mais lorsque ce dernier parla de l'intérêt des spécialistes pour ces lettres, il s'était senti mal et sur ses gardes.

— Je n'avais pas pensé les montrer à d'autres et je voyais déjà mon nom cité dans des articles relatant leur découverte, que liraient des centaines de personnes, lesquelles le répéteraient à des centaines d'autres...

Le retraité avait alors pensé faire diversion en remettant à Peter Thornhill les reproductions des lettres qu'il avait lui-même faites à l'époque. Peut-être allaient-elles empêcher la visite de ces spécialistes et, par la même occasion, qu'on voie son nom associé à des lettres qui ne lui appartenaient pas.

— Alors, maître Muller, quel est votre avis ? s'enquit-il à la fin de sa confession.

— Aux yeux de la loi, monsieur Gardiner, il s'agit... d'un vol.

On ne pouvait ainsi pénétrer dans un bureau privé et s'emparer de documents, peu importe où ceux-ci se trouvaient : dans un classeur, sur le dessus d'une table de travail ou, comme c'était ici le cas, à l'intérieur d'un récipient posé sur le plancher.

— Dites-moi, Mark Higgins, en vous les achetant, savait-il que vous n'en étiez pas le véritable propriétaire ?

— Je ne saurais dire. En tout cas, il n'y a jamais fait allusion directement. Mais au cours de cette rencontre au collège Duffin où il nous a donné son opinion sur la teneur des documents disparus, tout en parlant et gesticulant, il m'a jeté quelques regards par en dessous, comme s'il avait compris la raison de mon silence, de ma circonspection. Après, quand il m'a proposé de me raccompagner chez moi, j'ai pensé qu'il allait m'en parler. Ce ne fut pas le cas.

— Il vous a offert de les acheter durant ce trajet ?

James Gardiner fit signe que oui. D'abord, il avait refusé mais, comme s'il avait deviné la raison de son refus, Higgins lui avait dit ne pas vouloir les publier. Il en ferait un usage strictement privé. L'ex-relieur avait alors accepté les cinquante livres sterling offertes. Il disait ne pas être dupe que les lettres pouvaient valoir davantage mais, comme de raison, il ne pouvait les vendre en bonne et due forme. Et puis, cinquante livres sterling, pour un retraité comme lui, c'était une jolie somme.

Muller hocha la tête, en mordillant sa lèvre inférieure. Higgins était plus fourbe encore qu'il pensait : il était déjà en possession des lettres au moment où il avait prétendu devant sir Paul vouloir en faire l'acquisition en son nom.

— J'ignorais, continua l'ancien relieur, que monsieur Thornhill allait revenir à la charge et me les redemander. Au collège, il m'avait plutôt semblé enclin à oublier toute cette affaire.

« Plus fourbe et plus malin », pensa encore Muller. Higgins ne pouvait faire allusion au fait que monsieur Gardiner n'était pas le propriétaire légal des lettres de Feinstein sans se mettre lui-même en cause. La loi anglaise est très claire à ce sujet. Seul l'individu qui fait sciemment l'achat d'un objet volé est passible de poursuites.

Dans le cas contraire, si l'achat est fait en toute bonne foi, l'acheteur ne peut être poursuivi par le véritable propriétaire.

Mark Higgins n'avait rien laissé au hasard et avait protégé ses arrières.

— Je doute que vous soyez jamais inquiété, monsieur Gardiner, mais, si jamais c'était le cas, je pourrais vous aider. Et nous ne devrions pas argumenter très longtemps au sujet de mes honoraires.

— Êtes-vous venu... pour m'offrir vos services? s'étonna le vieil homme. Vous auriez pu me poser cette question au sujet de l'adresse au téléphone, non?

— Je suis venu ici pour la mer, répondit l'avocat avec une expression neutre.

Plutôt que de revenir vers le nord en passant par Arundel comme il avait fait à l'aller, il prendrait cette fois la A 259 et roulerait en direction est. Ce petit détour lui permettrait d'admirer les côtes de la Manche.

— À Brighton, par temps clair comme aujourd'hui, il est possible d'apercevoir, à l'aide de jumelles, les côtes françaises de Caen Le Havre. Et puis, sur East Street, il y a un petit restaurant qui sert des huîtres très fraîches et dodues.

— Peu importe vos raisons, maître Muller, je vous remercie beaucoup d'être venu.

Le vieil homme lui sourit aimablement et l'avocat se mit à marcher vers sa voiture.

— Maître Muller! lança James Gardiner au bout d'un instant.

L'avocat tourna la tête et le vit s'avancer vers lui. Une fois à sa hauteur, le retraité eut d'abord cet avertissement:

— Cela ne me concerne plus...

Puis, là-dessus, il commença à lui faire part de l'appel téléphonique qu'il avait reçu l'avant-veille au soir. Un homme à l'accent français, un certain Harper, collectionneur de livres rares qui disait avoir assisté à la conférence du professeur Connelly, avait désiré s'assurer du nombre de livres retournés par Charles Feinstein. Il disait douter fortement qu'il s'agissait de tous les numéros sauf de celui dont l'écrivain s'était servi pour dissimuler ses documents. L'insistance de ce monsieur Harper avait eu pour effet de rafraîchir la mémoire à James Gardiner.

— J'avais toujours pensé avoir mal entendu, dit-il comme pour s'excuser, persuadé que les exemplaires avaient tous été retournés, sauf le premier. Ils n'étaient pas très éloignés de moi à ce moment, mais il y avait le bruit des machines et...

— Mal entendu quoi, monsieur Gardiner?

— La remarque de l'employé chargé de recoller les exemplaires. Cette remarque s'adressait à monsieur Seltz et indiquait qu'il manquait un autre exemplaire dans la boîte.

— Un autre exemplaire?

— Oui.

Comme il l'avait dit, il était présent au moment où on était venu porter la boîte à son patron. Celui-ci l'avait ouverte devant lui, mais il n'avait pas pris la peine d'en sortir tous les exemplaires pour les compter. Il avait seulement retiré les trois premiers du dessus. Il s'agissait des numéros II, III et IV. Les livres étaient empilés les uns sur les autres, apparemment par ordre croissant. Monsieur Seltz avait présumé — et monsieur Gardiner aussi — que Charles Feinstein avait gardé, comme il le souhaitait à l'origine, un seul exemplaire, le numéro I, et avait retourné tous les autres.

— Cela ne me concerne plus, monsieur Muller, répéta le vieillard, avant d'ajouter : je peux me tromper, mais... mais je crois avoir deviné ce que ce Français a déduit.

— Je vous écoute, monsieur Gardiner, dit l'avocat, son attention tout éveillée.

Une demi-heure plus tard, William Muller entrait dans Brighton. Ce n'était pas encore la haute saison, mais une foule de vacanciers se promenaient déjà sur Palace Pier, la jetée principale. L'air sec et vivifiant de cet ancien petit village de pêcheurs en avait fait la station balnéaire la plus fréquentée d'Angleterre. L'avocat stationna son roadster sur Grand Junction Road face à la mer, sortit de voiture et, pendant une minute ou deux, il porta son regard au loin.

Sur la quarantaine de kilomètres qui séparaient Chichester de Brighton, il n'avait pas détourné les yeux de la route. Il avait été trop occupé à repasser dans son esprit ce que lui avait confié l'ancien relieur au sujet de la déduction de ce Français d'origine, monsieur Harper.

Il ne faisait presque plus doute, maintenant, que les documents, après avoir été retirés du numéro I, avaient été cachés plus tard dans un autre exemplaire. Ce très futé collectionneur en avait, en quelque sorte, trouvé la preuve.

20

La voix au téléphone avait un accent indubitablement français. L'homme se présenta à son interlocutrice, Jessica Cohen, comme étant Patrick Rohmer. Il l'informa avoir assisté, le mercredi précédent, à la communication du professeur Connelly. Depuis, il avait entrepris de sa propre initiative diverses démarches qui lui faisaient croire « très fortement » que sa tante, Elizabeth Levine, était l'auteur de *Young Alice*. Il ajouta qu'il avait trouvé l'explication à la disparition des documents que le conférencier avait été incapable de fournir. Ceux-ci n'en restaient pas moins à découvrir.

Pendant un moment, il y eut un silence à l'autre bout du fil, puis Jessica Cohen retrouva sa voix et ses esprits.

— Comment pouvez-vous croire cela ? demanda-t-elle, méfiante.

— Je me ferai un plaisir de vous le dire, madame, répondit le Français, mais pas au téléphone.

Une heure plus tard, Patrick Rohmer, la quarantaine avancée, un léger strabisme accentuant l'innocence de son regard, rencontrait Jessica Cohen à sa résidence d'Attenborough Street, en présence d'Alexander Zalaski. Le visiteur, vêtu d'un costume trois-pièces ample et un peu démodé, d'une cravate sombre et d'une chemise blanche propre quoique légèrement élimée aux poignets, n'était pas un spécialiste en littérature, encore moins de Lewis Nunn.

— Je ne dédaigne pas, à l'occasion, dévoila-t-il à son hôtesse en acceptant une tasse de thé, me plonger dans un bon roman policier, mais c'est là toute ma relation avec les écrits littéraires. Cette conférence sur Charles Feinstein, je vous l'avoue, ne suscita chez moi, de prime abord, aucun intérêt. Cela n'aurait pas été mon genre de sortie. Je préfère de beaucoup un bon match de foot. Et à la télé en plus.

Il ne s'y était rendu, disait-il, que pour faire plaisir à sa sœur, en visite à Londres et quelque peu entichée de littérature.

— Elle et moi avons été comme des étrangers l'un à l'autre pendant des années et nous cherchons, pas toujours adroitement, à nous rapprocher. Mais, bon, je m'éloigne du sujet qui m'amène ici…

Il se présenta en arguant du but de sa visite. En France, il avait travaillé comme agent de police judiciaire au département des enquêtes.

— Vous êtes policier ? demanda Alexander Zalaski, impressionné.

Dans son pays d'origine, au début des années cinquante, le Hongrois avait cherché en vain à faire carrière dans les forces de la sécurité nationale, alors calquées sur le modèle soviétique.

— Je l'ai été, oui, répondit l'autre, mais je ne le suis plus. C'est un métier difficile, exigeant. Parfois, il y a des choses qu'il ne faut pas fouiller, surtout quand cela concerne des personnages placés en haut lieu...

Il donna un instant l'impression de vouloir préciser cette allusion, mais il enchaîna plutôt, sur un ton un rien amer :

— J'avais cru faire honnêtement mon travail, mais certains ont jugé que j'avais fait trop de zèle et m'ont accordé une promotion dont je me serais passé : attaché au bureau de l'ambassade française, ici à Londres. Il s'agissait d'un emploi de bureau ne correspondant en rien, en toute modestie, à mes aptitudes naturelles : le travail d'enquête. Je suis un homme de terrain.

Et oubliant un instant la modestie dont il venait tout juste de se réclamer, il ajouta qu'il était un homme de terrain « avec du flair ».

— Au bout de quelques années, j'ai remis ma démission mais je ne suis pas retourné en France. Je me suis habitué à vos coutumes, bien que pas tout à fait encore à votre climat pluvieux. Avec la prime de départ et un peu d'argent mis de côté, j'ai ouvert un petit bureau sur Griffith Street.

Là-dessus, il sortit sa carte professionnelle et la remit à Jessica Cohen. Sur le petit rectangle de papier fort, on pouvait lire :

Patrick Rohmer
Enquêtes privées en tous genres
4480, Griffith, bureau 304, Londres
[01] 742-62-62

— Ce n'est pas mon habitude de solliciter une enquête, reprit-il. Le travail ne manque pas, croyez-moi. Vous seriez surpris du nombre de personnes demandant à faire filer leur conjoint. Souvent sans raison. Dans ce cas-ci, je n'ai eu aucune hésitation à oublier les usages, l'injustice m'apparaissant trop flagrante. Cela explique d'ailleurs pourquoi j'ai tant réfléchi à cette affaire au cours des derniers jours.

L'homme marqua un temps, puis dit :

— Ce sera le haut fait de ma carrière, je crois...

Jessica Cohen parut déconcertée par cette confidence et aussi un peu triste : et si cet étranger se trompait sur ses attentes ? Elle l'enjoignit d'entrer dans le vif du sujet.

— J'ai d'abord été frappé d'entendre ce conférencier, commença-t-il à expliquer, nous faire part de la manière dont on aurait cherché à dissimuler cet aveu, puis, tout à fait incrédule qu'on ait pu agir ainsi quand on nous montra à l'écran l'agrandissement de la page de garde décollée. Celle où on voit le carton, la bordure de cuir de la couvrure, vous vous rappelez ?

Jessica Cohen et Alexander Zalaski se rappelaient cette diapositive et le lui confirmèrent d'un signe de tête.

— Lorsque j'étais étudiant au lycée, histoire de payer mes études, j'ai travaillé deux étés dans une imprimerie. Pour coller parfaitement cette feuille bariolée sur cette bordure en peau, il est nécessaire d'abord d'utiliser une colle de pâte. Sur le gros plan, la couche de colle montrait des résidus transparents et non d'un blanc laiteux. Cela signifie qu'on a fait usage d'une colle liquide, tout à fait inappropriée. Ensuite, il faut exercer une pression de plusieurs centaines de kilos, pendant un assez long moment; seule une presse d'imprimerie peut faire convenablement ce travail. Là encore, la force de pression fut nettement insuffisante, tel que l'indiquent, tout le long du pourtour du papier couleur, de minces faux plis. Si la pression exercée avait été adéquate, des parties de ce pourtour seraient restées agglutinées à la couvrure.

— Où voulez-vous en venir, monsieur Rohmer? demanda Jessica Cohen.

Ces détails techniques n'étaient pas sans un peu l'intimider.

— Où je veux en venir, madame? Eh bien, voici: le mauvais encollage, ce gondolement inesthétique, était apparent dès le départ. S'il a sauté aux yeux de ces messieurs, rattachés à ce collège, dont a parlé le conférencier, il a aussi forcément sauté aux yeux de celui qui voulait dissimuler la confession. Dans ce dessein, cet homme prend la peine de commander un livre dans un état de fabrication inachevé; de plus, il se donne la peine de composer une énigme dont la solution spécifie l'endroit où elle est cachée. Après tant d'efforts, est-ce que cet homme se serait contenté d'un encollage médiocre, lequel désignait clairement la page de garde comme étant cet endroit?

Patrick Rohmer fit non de la tête. À son avis, la personne qui avait retiré le document de la couverture était Feinstein lui-même, car il était insatisfait du résultat de sa tentative de camouflage.

— J'ignore s'il a remarqué les traces d'écriture laissées au dos du papier couleur par le mot accompagnant son aveu. Nous pouvons le supposer. L'important, c'est qu'il a mis ce livre de côté et ne s'en est pas servi.

— Ce n'est pas cet exemplaire qu'il aurait fait parvenir à ma mère? s'étonna Jessica Cohen.

— Non, madame.

La femme porta la main à sa bouche, l'air consterné.

— Le fait que le professeur Connelly ait été... induit en erreur, monsieur Rohmer, balbutia-t-elle, est donc à cause de ma méprise? Il aurait fallu me rappeler aussi le numéro de l'exemplaire? Il ne

160

m'est jamais venu à l'esprit que le livre que le professeur Connelly nous a montré puisse ne pas être celui envoyé à ma tante par monsieur Feinstein.

— Il vous l'a présenté comme tel, madame Cohen, observa son aide pour la disculper. L'erreur est donc davantage celle du professeur.

— Feinstein lui a expédié plutôt un autre numéro, réitéra le Français, mais lequel au juste, je l'ignore encore.

Alexander Zalaski, qui prenait de plus en plus ses aises avec cette affaire, demanda comment il en était venu à croire que Feinstein s'était servi plutôt d'un autre exemplaire.

— La troisième lettre, répondit le détective.

Le contenu de celle-ci l'avait frappé.

— N'est-il pas en effet étonnant, fit-il observer, qu'il ait eu ce souci, assez banal, de retourner des exemplaires dont il ne savait apparemment que faire ? demander à en parachever les couvertures ?

Il s'interrompit non pour laisser les autres risquer une réponse, mais pour sortir un mouchoir et éponger la légère sueur qui perlait sur le haut de son crâne dégarni, causée par le thé.

— Quelle en était la raison ? reprit-il. Pour la trouver, j'ai eu recours à un vieux truc du métier : je me suis mis à la place de notre homme, juste avant qu'il soit motivé à l'écrire, c'est-à-dire au moment où il procède à sa première tentative de camouflage. Il est alors en possession de dix exemplaires, à l'état de fabrication incomplet, et constate, à son désarroi, ceci : il ne peut dissimuler ses documents sans que cela ne soit flagrant ou presque. Il n'a ni le type de colle ni la presse nécessaire pour agglutiner convenablement du papier à une bordure de cuir. Au mieux, il peut coller du papier sur du papier. J'illustre mon propos...

Patrick Rohmer tira de sa serviette un vieux livre ressemblant par ses dimensions et sa couvrure en peau à celui que leur avait exhibé, un mois plus tôt, George Connelly ; il le déposa devant eux et en tourna la page couverture pour laisser voir le papier couleur.

— Que remarquez-vous ? demanda-t-il.

Jessica Cohen et Alexander Zalaski y portèrent un instant leur attention, puis se consultèrent du regard et eurent un haussement d'épaules.

— Y a-t-il quelque chose à remarquer, monsieur Rohmer? s'enquit l'hôtesse, intriguée.

— Si, madame. Regardez de plus près.

Elle prit en main le livre ouvert et l'approcha de ses yeux.

— Je ne vois pas.

— Concentrez votre regard, madame, l'instruisit le Français, sur un des coins du papier couleur.

— Ah oui, fit-elle, au bout d'un court instant. On dirait deux pages de garde superposées.

— C'est exact. Et entre elles, j'ai glissé du papier.

— Vraiment?

Jessica Cohen chercha à reconnaître par le toucher ce que l'opacité du papier couleur du dessus lui cachait, mais en fut incapable. Zalaski fit de même et ne put non plus le déceler. Rohmer concéda:

— J'ai un peu triché, cependant.

— Que voulez-vous dire?

— Il y a une seule feuille de papier et pas deux.

De sa serviette, le détective tira un autre bouquin, identique au premier, et l'ouvrit. Cette fois, au premier coup d'œil ou presque, le couple put déceler une légère proéminence sous la page de garde.

— Ce fut mon premier test. Cela m'a un peu découragé sur le coup, car j'avais cru percer la manière dont il s'y était pris. Puis, j'ai pensé soudain: «Il n'a peut-être pas récrit le mot accompagnant son aveu». Je dis: «récrit» parce que l'absorption d'une partie de son encre l'avait rendu, je ne dirais pas difficile à lire, mais d'une lisibilité inesthétique.

Il indiqua le premier livre.

— Alors, j'ai fait ce second test. Étonnant, n'est-ce pas? Une seule feuille, on n'y voit rien ou presque, et deux, on voit tout...

— C'est ainsi qu'il aurait procédé?

— Je dirais plutôt, madame: il n'a pu que procéder ainsi, c'est-à-dire coller une page de garde sur une autre page de garde après avoir glissé entre elles une seule feuille de papier, c'est-à-dire uniquement la confession et non plus le mot qu'il avait joint à l'origine. Pour ce faire, il lui fallait d'abord avoir à sa disposition un exemplaire en parfait état. C'est la raison pour laquelle il écrivit à l'imprimeur cette troisième lettre dans laquelle il demande le parachèvement des numéros retournés. Il lui était aussi nécessaire, comme il me l'a été pour faire ces tests, de disposer de feuilles de papier couleur supplémentaires ; dans son cas, d'une seule feuille. Il n'en faisait pas la demande dans la lettre. Alors, quoi ? Comment aurait-il donc pu procéder ?

Le détective laissa passer quelques secondes pour inviter ses deux auditeurs à fournir des suggestions, mais ni Jessica Cohen ni son aide n'auraient pu en fournir.

— Une seule solution était possible, reprit-il devant leur silence. Toute simple, à la vérité. Il s'est servi d'une page de garde d'un autre exemplaire ! En la coupant à l'aide d'une lame le long de son rattachement, notre homme obtenait très exactement la dimension dont il avait besoin. Pour qu'on n'y voie rien ou presque, il faut que les papiers couleur se superposent parfaitement, sans se chevaucher. Il ne pouvait se servir de la page de garde de l'exemplaire numéroté I car elle était encombrée de résidus de colle séchés et donc inutilisable.

Il marqua un temps, puis continua :

— Il me restait à m'assurer de ma déduction auprès de monsieur Gardiner, cet ex-employé de l'imprimerie Seltz mentionné par le conférencier au moment où il présenta les lettres.

Jessica Cohen lui jeta un regard admiratif.

— Vous avez une fameuse mémoire, monsieur Rohmer.

— Dans notre métier, remarqua-t-il, il faut ouvrir grand les yeux et les oreilles... Monsieur Gardiner n'a pas été facile à joindre ; il se trouvait, ai-je fini par apprendre, dans le Sussex. Je n'ai pu lui parler longtemps : il ne s'est pas montré très loquace et a paru, à la vérité, plutôt ennuyé par mon appel. Il ne cessait de répéter que toute cette histoire ne le regardait plus...

Sur ce, le détective interrompit sa narration un instant, pour confier :

— Avant de poursuivre, je me dois de vous dire que j'ai entrepris cette démarche auprès de lui sous le couvert de l'anonymat...

— De l'anonymat?

— Je n'ai pas révélé à ce monsieur mon nom véritable, ni surtout mon vrai métier. Je me suis plutôt présenté à lui comme étant « monsieur Harper, collectionneur de livres rares ».

— Monsieur Harper? Collectionneur? Mais pourquoi?

— Me présenter comme détective, madame, aurait risqué de soulever chez lui des questions auxquelles je ne souhaitais pas répondre, à la vérité. Cette déduction à laquelle je suis venu, je prends sur moi de vous la confier mais elle doit demeurer secrète. Si elle se répandait, il y aurait alors une chasse effrénée à ces exemplaires et je préfère ne pas imaginer à quelle fin la personne qui retrouverait la confession et les cahiers, si ce n'était pas moi, les destinerait.

— Que voulez-vous dire?

Le détective eut un air indulgent.

— Vous avez conservé envers votre prochain, madame, une belle confiance. Certains diraient peut-être : « une belle naïveté ». J'ai perdu la mienne depuis longtemps. En raison de mon activité professionnelle, je fraie avec des individus d'un autre monde : des ambitieux, des arrivistes, des profiteurs. Bref, des gens sans scrupule. Ils seraient les premiers à se lancer à la poursuite de ces bouquins, et leurs recherches prendraient littéralement l'allure d'une course au trésor. Et quelle pensée, croyez-vous, traverserait leur esprit retors s'ils mettaient la main sur un tel aveu d'usurpation de droits d'auteur? Pouvez-vous croire cinq minutes qu'ils accourraient en informer les descendants de la personne ainsi lésée? En l'occurrence, vous?

Il fit ostensiblement non de la tête.

— Croyez-moi sur parole, madame, ils iraient d'abord rencontrer l'héritier du faux auteur, pour la simple et bonne raison qu'il est à même de payer le plus cher pour ces documents. Et la tentation serait forte pour ce dernier de faire une entorse à sa morale et d'accepter un tel marché.

Cette confidence faite et cet avertissement donné et accepté, Patrick Rohmer reprit :

— Dans la troisième lettre, si vous vous rappelez, on n'avait pas spécifié le nombre d'exemplaires retournés ; on y avait simplement écrit : « ... trouver dans la boîte ci-jointe les exemplaires à compléter ». Monsieur Gardiner m'a d'abord dit que Feinstein avait réexpédié tous les exemplaires, sauf le premier, mais, à force de l'interroger à ce sujet, il s'est souvenu d'une remarque de l'employé chargé du travail d'encollage. Monsieur Seltz lui avait dit : « Neuf couvertures à parachever », mais la remarque était qu'il n'avait trouvé que huit exemplaires dans la boîte ! J'avoue avoir eu toute la peine du monde à contenir un cri de joie, lequel aurait paru à ce monsieur Gardiner assez bizarre, vous le comprendrez, du fait qu'il ignorait quelle signification j'accordais à cette précision : on avait procédé tel que je l'avais supposé !

Ce transport auquel le détective venait de faire allusion, Jessica Cohen et son aide purent s'en faire une certaine idée parce qu'il transparaissait encore dans son visage comme il racontait cet épisode.

— Par ailleurs, monsieur Rohmer, demanda l'hôtesse, vous êtes convaincu que l'auteur est ma tante, Elizabeth Levine ?

Elle l'avait d'abord supposé, jusqu'à ce qu'elle entende le conférencier parler plutôt d'une certaine Florence Tennyson. L'assertion du professeur l'avait surprise et chagrinée et elle s'était sentie un peu ridicule de lui avoir prêté, tout juste avant de livrer sa communication, le sentiment qu'il s'agissait d'Elizabeth. Elle entretenait encore secrètement l'espoir que sa tante était l'auteur de *Young Alice*, mais elle avait commencé depuis à en douter.

— Eh bien, répondit Patrick Rohmer, outre la raison avancée par monsieur Zalaski à ce journaliste...

En voyant la réaction de surprise du Hongrois, le détective s'interrompit et, l'espace d'un instant, donna l'impression d'avoir laissé échapper ces paroles. L'étonnement de Zalaski était légitime car sa démarche auprès du reporter de l'*Evening Post* avait été vaine. Ce dernier n'avait fait aucun écho à cette « nouvelle exclusive » dont il s'était fait le promoteur.

Patrick Rohmer eut un drôle de sourire, puis s'empressa d'expliquer :

— Le journaliste de l'*Evening Post* est une connaissance. On exerce un peu le même métier : on interroge des gens, on se documente, on cherche à comprendre... Il n'a rien publié de ce que vous lui avez suggéré pour deux raisons. D'abord, la thèse du professeur Connelly a été reçue avec un prudent scepticisme par ses pairs à cause de son incapacité à donner l'explication dont je viens de vous faire part. Ensuite, il a plutôt identifié Florence Tennyson comme candidate la plus probable. Mais, comptez sur moi, quand j'aurai complété l'enquête, lui comme les autres vont nous offrir cinq colonnes à la une.

Le détective regarda son hôtesse et ajouta, en réponse à sa question :

— Il y a aussi, à mon sens, madame, cette autre raison, pas si secondaire, à savoir que le manuscrit original est contenu dans des cahiers d'écolier. N'est-ce pas le propre d'une écolière de se servir de ce type de feuilles brochées ?

Jessica Cohen, un peu machinalement, approuva de la tête.

— Je n'ai pas compris pourquoi le professeur Connelly n'en a pas fait mention, observa-t-elle. C'est là en effet, me semble-t-il, monsieur Rohmer, un argument de plus en sa faveur.

— Avec tout le respect qu'on lui doit, il a une fois encore ici erré, remarqua le détective.

— Vous parliez d'une enquête à compléter ? demanda Alexander Zalaski.

— Il s'agit en fait d'une recherche à entreprendre : celle de cet autre exemplaire qui fut envoyé, lequel est l'un des huit numéros retournés.

Le détective rappela les informations fournies par le conférencier à propos du sort qu'avait connu ce précieux exemplaire une fois remis à la bibliothèque de quartier. Puis, là-dessus, il fit part de la manière dont il entendait s'y prendre pour le retrouver. Il placerait de petites annonces dans les journaux et visiterait tous les commerces de livres d'occasion dans un périmètre donné, qu'il élargirait au fur et à mesure. De plus, il laisserait à chacun des commerçants une carte. S'ils n'étaient pas, au moment de sa visite, en possession d'une telle édition, ils pourraient l'être le lendemain, la semaine ou le mois suivant, parce que, comme de raison, des vieux livres, ils ne faisaient pas qu'en vendre, ils en achetaient aussi régulièrement.

Le détective montra un modèle de la carte qu'il ferait imprimer. Sur celui-ci, on pouvait lire en caractères de machine à écrire :

Monsieur Harper
collectionneur
[01] 734-62-10

— Comme vous pouvez le constater, je continuerai à employer le même pseudonyme, afin d'éviter une fois encore qu'un lien soit fait avec mon vrai métier, car mon nom véritable fait partie de la raison sociale de mon commerce. Je me servirai aussi de ce nom d'emprunt pour l'annonce dans les journaux. Par ailleurs, le numéro de téléphone n'est pas celui de ma carte professionnelle.

Il s'agissait, disait-il, du numéro de leur téléphone « vert », une ligne téléphonique spéciale et confidentielle. Sa sonnerie était différente de celle d'un téléphone standard. En décrochant, sa secrétaire, au lieu d'annoncer : « Investigations Patrick Rohmer, inc. », disait simplement : « Allô ». L'appelant mentionnait alors le nom de la personne à qui il désirait parler. La secrétaire vérifiait la liste des noms d'emprunt utilisés à ce moment-là et lui transmettait l'appel ou, en son absence, prenait le message.

— Inutile de vous dire que ma secrétaire ne sait rien des enquêtes se rattachant à ces noms fictifs. Je téléphone au bureau quand je suis à l'extérieur ; je suis donc en mesure de rappeler quiconque en une heure ou deux.

Le détective marqua un temps de réflexion, puis déclara, en fixant ses interlocuteurs droit dans les yeux :

— Je ne sais pas où cet exemplaire se trouve — dans une librairie d'occasion, chez un marchand de livres rares, un collectionneur, un particulier... — mais il se trouve quelque part, enfermant encore dans sa couverture la confession de Feinstein. Et je me fais fort, madame Cohen, monsieur Zalaski, de le retrouver.

Il avait fait cette déclaration, qui ressemblait un peu à une promesse solennelle, sur un ton neutre, sans insistance, et avait été d'autant plus convaincant qu'il n'avait pas cherché à les convaincre. Puis il ajouta :

— Dans la mesure où vous acceptez mon offre de service.

Jessica Cohen ne fut pas longue à répondre :

— Monsieur Rohmer, vos conditions seront les miennes.

Elle faillit presque regretter cette phrase — il y aurait eu lieu de négocier un peu, après tout — car le détective lui présenta ses honoraires à ce jour, en sus de ses frais, des honoraires suffisamment élevés pour provoquer un haussement de sourcils d'étonnement de la part d'une femme qui, quand il était question d'argent, n'était pas du genre, comme on dit, à départager les pennies des livres.

En outre, dans le contrat, il était stipulé qu'en cas de succès (c'est-à-dire dans le cas où l'aveu de Feinstein était retrouvé et désignait «nommément Elizabeth Levine comme auteur de *Young Alice*»), une prime de dix mille livres sterling devait lui être remise ainsi que, ultérieurement, une somme correspondant à dix pour cent du total des dommages-intérêts que l'actuel héritier de Charles Feinstein serait amené, par une entente à l'amiable ou un recours en justice, à verser.

21

Sir Paul Harrisson, William Muller et Christopher Shapiro gardèrent le silence tandis que le serveur de *L'Auberge d'Ergal*, un restaurant réputé pour son gigot d'agneau, leur apportait des apéritifs. Le dignitaire était un habitué de l'établissement et, à chacune de ses visites, on lui réservait toujours la même table : celle du fond et en retrait, à l'abri de toute oreille indiscrète.

Les trois hommes se trouvaient là pour discuter de l'action en justice contre le professeur George Connelly, mais sir Paul revint un instant sur le contenu de la conférence. Dans le document d'authentification que le professeur avait fait signer à Higgins, ce dernier disait avoir reconnu le papier à lettres de Charles Feinstein.

— S'il a noté une caractéristique propre à son papier, commenta-t-il, il ne m'en a jamais fait part.

Muller, qui avait aussi écouté l'enregistrement et relevé cette observation du conférencier, se tint coi mais eut un imperceptible battement de paupières.

Ils virent s'approcher un autre serveur. Celui-ci s'enquit s'ils étaient prêts à commander. Les dîneurs optèrent pour la spécialité. Sir Paul se chargea du choix du vin, un bordeaux de la région de Candillac dont il vanta les mérites.

— Alors, William, dit-il, une fois qu'ils furent de nouveau seuls, quel est le programme ?

— Le programme ? Eh bien, dès demain, Christopher va se charger de rédiger l'assignation. Elle sera ensuite remise par huissier à ce monsieur Connelly, au plus tard mardi ou le lendemain.

L'avocat eut un signe vers son associé, qui enchaîna avec la suite prévisible. Le prévenu allait disposer du délai habituel de dix jours pour comparaître à la cour et répondre à la demande formulée contre lui. Comme la loi se faisait un devoir de traiter avec diligence le délit diffamatoire — l'accusation mensongère publique ne devant pas se prolonger indûment —, l'audience devrait se tenir d'ici trois ou quatre semaines. Le tribunal avait ensuite obligation de statuer dans un délai maximum d'un mois.

— Bien, fit le dignitaire.

— Par ailleurs, avez-vous lu les journaux ces derniers jours? s'enquit Muller.

— L'*Evening Post*, oui.

— Alors, vous avez remarqué qu'il n'a rien rapporté?

De fait, sir Paul Harrisson avait épluché le journal et n'avait pas trouvé la moindre mention de la conférence.

— Et presque rien dans le *Globe*, ajouta l'avocat.

— Cela a beaucoup à voir, monsieur, dit son associé, avec l'accueil poli mais très réservé de ses pairs. La thèse du professeur en a laissé plus d'un sceptique.

— Bref, son allégation a eu un impact limité.

— Où voulez-vous en venir, William?

— Je veux souligner ceci, sir Paul: un juge tiendra compte de cet impact au moment où il se penchera sur les réparations que nous demanderons. Et à ce propos, j'ai enjoint Christopher de faire des recommandations.

Le dignitaire tourna son regard vers l'associé.

— Je vous écoute, maître Shapiro.

— Comme de raison, vous pourriez réclamer, monsieur, des dommages-intérêts. Après tout, vous avez subi un préjudice. Un préjudice moral est plus difficile à chiffrer qu'un préjudice matériel mais, quand même, il est chiffrable. Cependant, il serait sage de ne pas en demander, à mon avis, sinon de demander des dommages-intérêts purement nominaux, soit la livre sterling symbolique.

Devant un sir Paul demeuré silencieux, Muller sentit le besoin de préciser:

— Réclamer une compensation financière à un professeur, dont le salaire est plutôt modeste, revêtirait aux yeux de plusieurs un caractère punitif, voire vengeur, envers le prévenu, pensons-nous.

— Et pour un homme comme moi qui fut anobli, William, rétorqua le dignitaire avec une pointe d'ironie, ce ne serait pas très noble, n'est-ce pas ? Continuez, maître Shapiro.

— Il faudrait donc, monsieur, s'en tenir au minimum : soit, très simplement, porter à la connaissance du public l'existence de la condamnation. Dans les faits, cela correspondrait à demander que la décision du tribunal fasse l'objet d'une publication — par exemple, dans les journaux ayant annoncé la tenue de la conférence — et à réclamer, comme de raison, l'interdiction de la publication du texte du professeur, peu importe la forme et surtout dans les actes du colloque.

Après un court moment de considération, sir Paul dit, de bonne grâce :

— Je n'ai aucune intention de me montrer intransigeant ou vindicatif, messieurs. Je ne désire que l'honneur de mon oncle et le mien. Quant à la manière, je me montrerai conciliant.

La réparation à demander suggérée par ses avocats lui apparaissait acceptable.

22

Un soir de la semaine suivante, William Muller annonça à sa femme la venue imminente d'un rare visiteur : Donald Blair.

Helena Muller savait peu de choses à son sujet, mais tout de même l'essentiel : un collaborateur effacé, travaillant dans l'ombre et effectuant à l'occasion des recherches particulières pour son mari.

Le privé venait faire rapport au sujet de cette même « affaire ».

— Mais... pourquoi ici ? s'étonna-t-elle.

La question était légitime. Ses relations avec le détective Blair, William Muller les avait toujours tenues à l'écart de la maison.

— Je ne pouvais le recevoir au bureau car... cela ne concerne pas, à la vérité, le cabinet. Et je ne voulais pas d'une rencontre dans un lieu public.

— Qu'est-ce que tu veux dire : « cela ne concerne pas le cabinet » ?

L'avocat eut un profond soupir.

— C'est moi — moi personnellement, Helena — qui ai besoin de ses services.

Il baissa les yeux, embarrassé. Au bout d'un silence, il finit par expliquer :

— Vois-tu, je suis dans de mauvais draps et... et il se trouve peut-être un moyen de m'en sortir. C'est pourquoi j'ai fait appel à lui.

Helena Muller dévisagea son époux :

— Te sortir de quoi, William ?

Il marqua un autre temps, puis :

— Prends au moins la peine de t'asseoir. Blair ne sera pas ici avant une heure.

Lentement, elle fit comme il lui était demandé. Resté debout, la tête inclinée, son mari cherchait ses mots.

— Il ne doit pas se trouver de façon élégante de l'annoncer, remarqua-t-il en faisant un rictus. Voilà: j'ai commis un parjure.

— Un parjure?

— Oui... Pour une telle faute, un avocat est radié du barreau. Ce serait une assez triste fin de carrière, n'est-ce pas?

— Mais... quel parjure, William?

Il eut encore un profond soupir.

— Les archives de la succession de Charles Feinstein... celles dont sir Paul m'a fait le gardien... et qu'il m'a demandé de détruire...

— Oui?

— Je ne l'ai pas fait.

— Quoi?

— Je ne les ai pas détruites, Helena.

L'avocat eut une moue de dépit, puis passa aux aveux. Hawkins and Co., la firme qu'il avait engagée, avait plutôt détruit les archives d'anciens clients décédés. Sur la copie de la facture remise à sir Paul Harrisson, il était fait mention de l'incinération de huit enveloppes scellées et identifiées, mais elles ne contenaient ni les manuscrits, ni les lettres, ni le journal de son oncle. Il s'était procuré des enveloppes semblables à celles que le dignitaire lui avait confiées; il avait inséré dans chacune des feuilles de papier tirées d'anciens dossiers périmés, inscrit le titre apparaissant sur les enveloppes originales et les avait scellées enfin avec un cachet de cire semblable.

— Mais... ce document, cet acte avisant de la destruction des archives et portant ta signature...

Il acquiesça de la tête, peu fier.

— Je sais. Il a engagé ma responsabilité professionnelle. J'ai trahi le serment de ma profession: j'ai manqué gravement à mes obligations et commis un parjure public. Si jamais cela est su...

— Mais pourquoi? demanda sa femme, toujours sous le coup de la surprise.

— Cela va peut-être te faire sourire, répondit-il avec une expression de dérision envers lui-même, mais je pensais ainsi, je pensais ainsi sauver un trésor de notre littérature nationale. Je veux parler plus spécialement du manuscrit de *Young Alice*.

Sa réponse ne fit pas sourire sa femme. Elle provoqua plutôt chez elle un serrement de cœur.

— Je ne risquais pas grand-chose, me disais-je. Après tout, il m'était toujours loisible de détruire ces archives pour de bon si jamais je changeais d'avis. Et puis, elles auraient été dévoilées, par moi ou un autre, seulement après la mort de sir Paul. Aujourd'hui, comme de raison, je ne peux plus en mon âme et conscience les détruire.

Helena Muller eut un lent signe de tête d'entendement. Voilà donc pourquoi la supercherie qu'aurait élaborée un faussaire l'inquiétait tant. Obligation morale lui était faite de la démasquer en se servant des spécimens d'écriture de Feinstein actuellement en sa possession. Au-delà de l'inquiétude d'empathie pour son client, il y avait donc aussi celle qui lui était propre.

— Je ne comprends pas, fit-elle. Je ne comprends pas ton questionnement à l'origine : si Feinstein notait tout dans son journal pourquoi ne pas l'avoir examiné ?

— J'aurais pu immédiatement vérifier l'entrée finale de son journal, mais cette vérification ne s'accordait pas avec mon intention de sauver les archives de la destruction. Plusieurs pages avaient été retranchées des registres. Je ne voulais pas être soupçonné d'avoir participé à cette opération de censure.

En s'abstenant de briser les sceaux des enveloppes, William Muller évitait ainsi, disait-il, de faire peser sur lui de tels soupçons.

— Et puis il s'est trouvé d'autres façons de savoir, n'est-ce pas ? Par exemple vérifier, comme tu as suggéré, l'adresse de l'expéditeur auprès de monsieur Seltz. Ensuite, ma démarche auprès de Richard. S'il avait été possible, pour un expert en documents écrits, de dater les textes de la confession et des lettres, je n'aurais plus rien eu à craindre. Cette contrefaçon de l'écriture de Feinstein aurait pu alors être déjouée sans que j'eusse besoin de révéler mon secret.

Enfin, il en aurait été de même si sir Paul eût encore disposé, en nombre suffisant, d'écrits de son oncle. Ce n'est pas le cas. J'ai pris la peine de me renseigner auprès de lui.

— Tu l'as mis au courant ?

— De cette probable supercherie ? Non. Je veux éviter aussi longtemps que possible de l'alarmer à ce sujet.

— Cette vérification au journal, tu l'as faite ?

— Oui. Il y a un peu plus d'une semaine, à la suite de ma visite à James Gardiner. Je ne pouvais plus alors m'en empêcher. Pas après avoir été informé qu'un très perspicace collectionneur avait trouvé la preuve que les documents avaient été dissimulés dans un autre exemplaire et qu'il était à sa recherche. C'en était trop et j'ai renoncé du coup à l'idée de remettre les archives aux chercheurs dans le même état qu'elles m'avaient été confiées.

William Muller s'avança vers la table d'angle jouxtant le sofa. Sur le dessus, reposaient un carafon de liqueur et des verres. Il se versa à boire, puis s'assit à côté de sa femme.

Il fixait le contenu de son verre, le regard un peu dans le vague.

— Je me suis donc rendu là où je conserve les archives et j'ai brisé le sceau de l'enveloppe contenant le registre numéro 13...

Il secoua la tête de dépit :

— Le journal se termine le 17 décembre 1926, soit la veille de son aménagement dans sa maison de campagne. Feinstein précise qu'il allait désormais cesser de le tenir. Il disait vouloir s'isoler des autres et aussi de lui-même.

Il prit une gorgée, puis enchaîna :

— Cela ne signifiait pas pour autant que j'avais tort de soupçonner une supercherie. Cela signifiait seulement que la consultation du journal ne permettait pas de savoir si c'était bien Feinstein qui avait fait parvenir au printemps 1927 les lettres à l'imprimeur Seltz et non, comme je continue à le soupçonner, un escroc faussaire. Et dans l'état d'incertitude où je me trouvais, c'est ce que je souhaitais déterminer une fois pour toutes... Mais comment ? Je me suis alors souvenu du mot inversé.

— Le mot inversé ?

— Celui apparaissant au dos de la page couleur de l'exemplaire numéro I. Ce mot, et plus précisément le segment de phrase : « mais il y eut les propos diffamatoires de tu sais qui, puis la gloire ». Ce « qui », le professeur Connelly a affirmé qu'il s'agissait du docteur Robert Levine. Il avait raison. J'ai pris la peine de vérifier au journal. Dans une entrée de septembre 1895, Feinstein mentionne son altercation avec le médecin au musée d'histoire naturelle. Levine l'a alors accusé d'avoir agressé sa fille Alice l'année précédente, soit durant l'été 1894. Il disait avoir des pièces pouvant l'incriminer et menaçait de les rendre publiques s'il cherchait à revoir sa fille. Ces pièces étaient vraisemblablement des écrits de Feinstein qu'il aurait interceptés cet été-là, à la station balnéaire. Soit dit en passant, les pages se rapportant à cette période cruciale de la création de *Young Alice* ont été retranchées du journal.

— Es-tu en train de suggérer que ce docteur serait à l'origine de cette supercherie ?

— Je crois légitime de le supposer. Les motifs derrière une telle machination sont toujours les mêmes : l'argent, la vengeance, ou les deux. Le docteur Levine aurait pu être motivé non par la seule vengeance, mais aussi par la cupidité. Sa fille Elizabeth dont il héritait, plus ou moins mêlée à la genèse du conte, aurait constitué un auteur somme toute potentiel, sa mort tout juste avant la publication de *Young Alice* expliquant, fort opportunément, qu'elle n'eût jamais pu clamer l'avoir écrit. Et puis... un escroc n'aurait pas falsifié que les lettres à monsieur Seltz, la confession et le mot, mais aussi, cette énigme où apparaissait le surnom « Secunda » que Robert Levine aurait été une des rares personnes à connaître. Enfin, sa fille Alice, qu'il ne voyait plus depuis des années en 1927, était la destinataire tout indiquée : une ancienne relation de Feinstein, sœur du prétendu véritable auteur...

Maître Muller avait déjà eu l'occasion de côtoyer plus d'un criminel dans sa carrière et il pouvait témoigner que les ruses et les procédés qu'ils employaient étaient infinis. Un escroc usant ainsi de proches pour élaborer sa supercherie était tout à fait possible. Il y avait des précédents.

— C'est sur ce médecin que j'ai demandé à Donald Blair de faire enquête.

— Oh. Et c'est pour te donner le résultat de celle-ci qu'il vient ce soir ?

— Oui. De par sa profession, le docteur Levine a eu souvent à écrire. Et pas seulement des ordonnances. Parfois aussi, nul doute, de longs rapports médicaux sur de très jeunes patients, encore vivants peut-être aujourd'hui et dont les dossiers seraient toujours actifs ou du moins n'auraient pas encore été détruits. Bref, il est possible de trouver des spécimens de son écriture.

— Mais pourquoi ?

La venue de Richard Lockwell chez lui n'avait pas été tout à fait inutile, après tout. Il lui avait permis d'être informé d'un autre truc du métier d'expert en écriture. En comparant des faux avec des spécimens d'écriture normaux du faussaire, il était possible de prouver qu'ils étaient de sa main.

Là-dessus, l'avocat se leva, alla derrière son bureau, ouvrit un tiroir et en tira une coupure de journal.

— Blair vient aussi me faire rapport sur un autre individu, fit-il encore.

Il tendit à sa femme le bout de papier.

— Sur ce monsieur...

La coupure était une petite annonce qui avait commencé à paraître deux jours plus tôt dans l'*Evening Post*:

Collectionneur
à la recherche d'exemplaires de Young Alice
Édition à tirage limité, format in-plano, 1927
Téléphoner à monsieur Harper
au [01] 734-62-10

— Oh !

— Dès le lendemain de ma visite à monsieur Gardiner, j'ai commencé à passer en revue la rubrique des petites annonces des journaux sous les titres « Divers », « Antiquités », etc.

Il mentionna avoir repéré le court texte dès sa première apparition dans le journal.

— J'ai téléphoné sur-le-champ à Blair et lui ai demandé d'enquêter aussi sur ce monsieur Harper, entre autres pour vérifier s'il s'agissait de son nom véritable. Je n'ai trouvé aucun Harper inscrit dans le bottin avec un tel numéro de téléphone. Pourtant, l'indicatif régional 01 est celui de Londres. Blair suppose qu'il aurait pu fournir un numéro pour le joindre à son lieu de travail ou demander à ne pas paraître à l'annuaire pour une question de confidentialité. Mais, bon, j'ai voulu être fixé.

23

Donald Blair, un homme quelque peu trapu, d'âge moyen et au visage honnête, sonna à la porte du *town house* des Muller aux alentours de vingt heures. C'est l'avocat qui vint lui ouvrir. Il le fit passer dans son étude, située à proximité du hall d'entrée. Le visiteur s'installa dans un des fauteuils de cuir capitonné.

Après avoir marqué un temps, il ouvrit sa serviette et y prit son calepin de notes.

— D'abord, peut-être l'individu de la petite annonce, monsieur ?

Muller acquiesça d'un signe et l'autre commença :

— Ce monsieur Harper est un nom d'emprunt. Son nom véritable est Patrick Rohmer. Il est français d'origine et habite le quartier de Broughton dans le Northside... au 6564, Huttington Street, appartement 3. Quant à sa profession, monsieur, ma recherche a révélé qu'il tient un petit bureau d'enquêtes en tous genres dans le centre-ouest, au 4480, Griffith Street.

— Êtes-vous en train de suggérer, monsieur Blair, demanda l'avocat Muller, un tantinet incrédule, que ce monsieur...

— Rohmer.

— ... Rohmer serait un détective privé ?

— Oui, monsieur. L'emploi, ici, d'un nom d'emprunt n'est pas si étrange, à la vérité. Un changement d'identité chez un privé fait souvent partie de la panoplie des subterfuges employés.

Donald Blair fit délibérément une pause, puis expliqua :

— Par ailleurs, monsieur, comme le suppose son métier, il a été engagé pour collectionner ces exemplaires. Outre des visites dans des librairies d'occasion, il s'est rendu dans une maison privée d'Attenborough Street appartenant à une dame Jessica Cohen, rentière.

— Jessica Cohen ?

— Oui, monsieur. Nul doute, elle a engagé ce détective.

Pour le déterminer, Donald Blair avait discrètement interrogé un vieux jardinier loquace travaillant dans le quartier depuis de nombreuses années. Cet employé lui avait confié que cette dame Cohen était la fille d'Alice Levine, l'inspiratrice de Charles Feinstein. Cela étant su, on pouvait donc assez facilement s'expliquer son désir de collectionner ce titre particulier.

William Muller, l'air consterné et perplexe à cette nouvelle, restait silencieux. Jessica Cohen ne pouvait supposer que la confession de Feinstein était dans un autre exemplaire sans en informer le professeur Connelly. Elle avait été directement associée à sa recherche, comme ce dernier l'avait lui-même mentionné au cours de sa conférence. Et monsieur Rohmer, alias Harper, avait assisté à celle-ci et appelé James Gardiner dans les heures suivantes.

— Qu'elle ait fait appel, voyez-vous, continua encore Blair, à un détective privé, spécialiste de recherches méthodiques, est un peu naturel.

William Muller se garda de le contredire, mais venait de déduire que ce Rohmer ne pouvait avoir été approché par Jessica Cohen. C'était plutôt l'inverse.

Donald Blair marqua un autre temps, en attente du bon vouloir de son client de procéder au second rapport.

— Et ce docteur ?

Le privé jeta de nouveau un coup d'œil à ses notes et reprit :

— Le docteur Robert Levine était lucide en 1927, monsieur, bien que misérable et vivant d'expédients depuis qu'on lui avait interdit de pratiquer la médecine quelque vingt ans plus tôt. Une histoire de médicaments à haute teneur en morphine dont les ordonnances étaient bidon. À l'époque, il avait intenté un procès à sa corporation pour renverser cette radiation, mais il le perdit. Il avait congédié l'un après l'autre les deux avocats qu'il avait engagés et, à la fin, plaida lui-même sa cause.

William Muller, qui l'écoutait renversé dans son fauteuil, ne put s'empêcher de penser à ce vieil adage des gens de sa profession : *La personne qui se défend elle-même a souvent un sot comme avocat.*

— Par la suite, et cet épisode est significatif, il fit parvenir à sa corporation des lettres haineuses contre les membres du conseil d'administration qui avaient pris à l'unanimité cette décision. Il fut poursuivi à son tour et condamné. Les lettres déposées comme pièces à conviction démontrent un esprit fin et subtil. Les situations compromettantes et déshonorantes dans lesquelles il plaçait ses victimes n'avaient rien d'invraisemblable, au contraire. Il s'était renseigné sur leur caractère, leur personnalité, leur idiosyncrasie particulière et avait tissé ses mensonges en conséquence. Le juge le condamna d'autant plus sévèrement que ses fabulations étaient, écrivit-il dans son jugement, d'une « perniciosité troublante ».

William Muller associa ces caractéristiques à celles qu'il avait lui-même supposées de son suspect, spécialement son exploitation habile des traits de caractère de Charles Feinstein. Par exemple, cette idée ingénieuse de penser dissimuler la confession et de la faire découvrir à l'aide d'une devinette, qui était une marotte de l'écrivain ; et le ton ironique, un peu méchant des lettres, typique aussi du caractère vif de l'oncle de son client.

— Vous avez des exemples de son écriture ? demanda-t-il.

C'était le but ultime de son investigation, comme de raison.

— Oui. J'ai obtenu copie des lettres en question versées au dossier.

— Je peux les voir ?

Donald Blair sortit les copies de sa serviette et les lui tendit.

L'avocat s'attarda d'abord au contenu mensonger. Leur auteur avait une belle imagination. Puis il porta son attention sur l'écriture : cursive, très ferme et assez élégante. Il eut une expression satisfaite.

— Si je peux me permettre, monsieur ? fit Blair.

— Oui ?

— Ces exemples d'écriture serviront de... spécimens de comparaison dans une expertise en écriture ?

William Muller eut une imperceptible réaction devant la perspicacité du détective, puis cessa aussitôt de s'en étonner. Aurait-il pu exercer convenablement ce métier sans faire preuve de cette qualité ?

— Elles pourraient servir en ce sens, reconnut volontiers le client.

— Puis-je vous demander, monsieur, quand furent écrites les pièces auxquelles elles seront éventuellement comparées ?

— En 1927 ... Pourquoi ?

— Le docteur Levine, à la fin de l'année précédente, souffrait de sclérose en plaques à un stade avancé.

— Oh !

— Cette lésion du centre nerveux ne diminue en rien l'intelligence, mais beaucoup, vous vous en doutez, l'adresse manuelle. Jugez-en par vous-même.

Donald Blair rouvrit sa serviette et en sortit un autre écrit qu'il lui tendit. Il n'était pas de la main du médecin, précisa-t-il, mais de celle d'une personne atteinte du même type de paralysie.

Le texte qu'examinait Muller était tout en lignes ondulantes, avec un tremblement horizontal continu.

— Monsieur, enchaîna le détective, puis-je encore me permettre ? L'avocat releva la tête.

— Cette... entreprise aurait été admirablement bien élaborée ?

— Nul doute.

— Par ce docteur Levine ?

— Du moins, c'est ce que je croyais.

— Que voulez-vous dire, monsieur ? Que vous croyiez qu'il était lui-même le cerveau et la main ? Si l'entreprise fut menée avec le plus grand soin, il ne peut avoir été la main, monsieur. Je veux bien croire que ce médecin aurait disposé d'écrits de la personne à imiter... C'est le cas ?

— Très vraisemblablement, reconnut Muller.

— Et il aurait eu ainsi tout le temps nécessaire de s'entraîner, s'il n'avait eu ce handicap. Mais, ici, comme il s'agit selon toute probabilité de falsifications de premier ordre, l'entraînement seul ne suffit pas. Il faut aussi une très grande habileté naturelle qui n'est pas donnée à tous, monsieur.

Son investigation avait aussi révélé le fait suivant : le médecin avait fréquenté certains milieux criminalisés.

— Il aurait pu dénicher là un complice faussaire...

William Muller avait écouté d'un air sombre.

— Il était sans le sou et vivait d'expédients, avez-vous dit, monsieur Blair ? Comment aurait-il pu alors payer pour ces services ? Je veux dire, pour les services d'un professionnel, d'un spécialiste ?

— S'il était un as dans son domaine, observa le privé, ce faussaire ne s'est certainement pas contenté d'honoraires. Ce genre de maître exige le plus souvent une part du gâteau. Cette... entreprise, monsieur, devait-elle rapporter de grosses sommes d'argent ?

— Oh, oui, monsieur Blair. De très grosses sommes. Et pendant de très nombreuses années. Un complice faussaire ?

— Comme de raison, nous ne pourrons jamais savoir. Sans le moindre indice sur son identité, toute recherche à ce sujet devient vaine. C'est fâcheux. J'aurais souhaité faire davantage, monsieur.

Ce souhait était sincère. Donald Blair avait beaucoup de respect pour son client. Cette investigation n'était pas ordinaire. Elle revêtait nul doute pour l'avocat une importance toute spéciale. Pour la première fois, il n'était pas payé par chèques tirés du compte de banque du cabinet Muller et Associés, avocats, mais de son compte personnel.

— Ce sera tout, monsieur ?

— Oui.

William Muller se leva, remercia Donald Blair pour ses renseignements et le raccompagna jusqu'à la porte.

— Ce docteur Levine n'a pu écrire en 1927 ces faux documents, annonça-t-il à sa femme un instant plus tard. Selon Blair, il pourrait malgré tout être au cœur de leur création.

— Et monsieur Harper ?

Il secoua la tête d'incrédulité avant de répondre :

— Il ne s'appelle pas Harper, mais Rohmer. Et il n'est pas collectionneur, mais détective.

— Détective ?

— Oui. Un spécialiste, un professionnel de la recherche.

Il soupira.

— Ce n'est plus qu'une question de temps avant que la confession attribuée à Feinstein soit découverte. Et quand cela arrivera, si elle est relative au fait qu'il n'aurait pas écrit *Young Alice*, il faudra obligatoirement s'assurer de son authenticité, surtout si elle identifie Elizabeth Levine comme véritable auteur.

L'avocat afficha un air défait. Le seul moyen désormais de faire ce test d'authentification était par une expertise en écriture à partir de spécimens de comparaison tirés des archives de Charles Feinstein.

— Alors, j'aurai à vivre avec cette expression d'anxiété affichée sur ta figure pendant encore une période indéterminée ? Il n'y a rien d'autre que tu ne puisses faire ? Ne sachant pas à quoi t'en tenir au sujet de cette confession, tu continueras à t'inquiéter pendant des semaines, voire des mois ? Et peut-être sans raison ?... Quoi encore ? s'exclama Helena Muller.

Un trait de lucidité venait de traverser le regard de son mari.

24

L'huissier se présenta au département de littérature anglaise de l'université de Birmingham sur le coup de dix heures. La secrétaire était habituée à recevoir des envois pour le professeur et à signer en son nom, mais ce messager, qu'elle voyait pour la première fois, lui indiqua sur un ton grave et serein :

— Il s'agit d'une signification à personne, madame. Je dois la lui remettre en mains propres. Je vous saurais gré de lui demander de venir.

La secrétaire le dévisagea un instant, intriguée par l'importance qu'il accordait à la tâche dont il était investi ; puis elle alla frapper deux petits coups secs à la porte du bureau de son patron, marqua un temps avant de l'entrouvrir et annonça dans l'entrebâillement :

— Je m'excuse de vous interrompre, professeur, mais on vous demande expressément. Au sujet d'une... « signification ».

Elle fit suivre son annonce d'un léger haussement d'épaules, indiquant par là qu'elle ne savait trop au juste de quoi il s'agissait. On entendit une voix lui répondre, puis elle referma la porte et informa l'huissier :

— Il est au téléphone. Il ne devrait pas tarder. Prenez la peine de vous asseoir.

L'officier de justice fit comme il lui était suggéré et se mit à noter sur un formulaire quelques-uns des éléments officialisant sa démarche : la date, l'heure, le kilométrage parcouru, les frais pour ses services.

Au bout d'un moment, en voyant apparaître un petit homme dans l'embrasure, il se leva :

— Monsieur George Connelly ?

— Lui-même.

Sans un mot et sous le regard curieux de la secrétaire, qui avait interrompu la dactylographie d'une lettre pour porter son attention sur ce qui apparaissait être l'événement de la journée, voire de la semaine, l'huissier lui tendit l'acte de procédure plié en quatre et tourna les talons. C'est à peine si le professeur, avisant au coin gauche supérieur que le document émanait de la « Haute Cour de Justice de Grande-Bretagne, District de Londres », eut le temps de lui lancer :

— Mais... de quoi s'agit-il ?

— Tel qu'indiqué, monsieur, répondit l'huissier, qui avait déjà un pied dans le corridor, il s'agit d'une assignation à comparaître.

— Une assignation à comparaître ?

L'autre s'était déjà éclipsé.

Le professeur, médusé et perplexe, déplia les feuilles de grand format. Le premier document lui commandait, « au nom de la Souveraine et à la réquisition de la partie demanderesse (Sir Paul Harrisson, domicilié et résidant au 12, Ormond Road, Richmond), de comparaître au Palais de justice de Londres, à la cour du Banc de la Reine ». Il devait le faire dans les dix jours de la date de la signification et cela « pour répondre à la demande contenue dans la déclaration ci-jointe ». Faute de produire, dans ce délai, stipulait encore cette première feuille, un acte de comparution signé par lui-même ou son procureur, un jugement par défaut pourrait être rendu contre lui. Suivaient les signatures du procureur du requérant, maître Christopher Shapiro, et du protonotaire qui avait apposé les timbres judiciaires et conservé au greffe l'original de l'assignation.

Le chercheur relut l'identité de celui qualifié de « partie défenderesse », comme pour s'assurer qu'il n'y avait pas eu erreur sur la personne. Il s'agissait bien de lui-même : « George Connelly, domcilié et résidant au 256, Newhall Street, Birmingham ». Il secoua la tête d'incrédulité et passa à la seconde feuille. Elle répétait le même en-tête, mais son titre était : « Déclaration ».

Dans ce document, un certain nombre de faits, numérotés et divisés en paragraphes, étaient invoqués. D'abord, la partie demanderesse rappelait qu'elle était la légataire universelle de l'écrivain Charles Feinstein, connu sous le nom de plume de Lewis Nunn. Puis on mentionnait la communication que le professeur avait prononcée le mercredi 12 juin 1963, dans laquelle il avait donné à entendre que Charles Feinstein ne serait pas l'auteur de *Young Alice*.

— Bon Dieu! s'exclama-t-il, saisissant enfin de quoi il s'agissait.

Il tourna le regard vers sa secrétaire ; elle le dévorait des yeux et ne se rappelait pas l'avoir déjà entendu prononcer un juron.

— Je ne veux pas être dérangé, ordonna-t-il. Prenez mes appels, voulez-vous ?

Là-dessus, il pénétra dans son bureau et claqua la porte derrière lui. S'asseyant dans son fauteuil, il poursuivit, les yeux écarquillés, la lecture des faits qu'on lui imputait.

Le troisième paragraphe le fit sursauter. Cette imputation « déshonorant la mémoire de feu Charles Lutwidge Feinstein » avait été faite, disait-on, « avec l'intention spécifiée de porter atteinte à l'honneur de la partie demanderesse ».

— « Avec l'intention spécifiée » ? s'étonna-t-il à haute voix, éberlué par cette assertion.

Au paragraphe 4, comme en réponse à son étonnement, il était allégué que cette intention malveillante du prévenu reposait sur des faits passés. Ainsi, en janvier 1960, il avait sollicité la faveur de consulter les archives de Charles Feinstein et avait reçu du demandeur une réponse négative à sa requête ; puis, en septembre de la même année, il avait écrit un article critiquant le choix des archives de Charles Feinstein que la partie demanderesse avait décidé de rendre publiques ; enfin, en février 1961, il s'était, devant témoins, offusqué de la décision de sir Paul Harrisson de mettre fin à la conservation desdites archives.

Au paragraphe 5, on indiquait que le professeur avait péché, dans sa communication, contre les règles de l'art de sa profession et que ces éléments, corroborant son intention malveillante à l'endroit du demandeur, allaient être exposés au cours de l'audience.

La fin de la déclaration se lisait ainsi :

189

« En vertu des articles 5, 6 et 10, alinéa *c)* de la *Loi sur la diffamation,* chapitre 66 de l'amendement de 1952, la partie demanderesse conclut à ce que le tribunal rende jugement contre le prévenu pour délit diffamatoire et condamne celui-ci : 1) à payer des dommages-intérêts symboliques d'une livre sterling ; 2) à faire publier la décision dans les médias qui ont annoncé la tenue de la communication et dans ceux qui en ont fait écho par la suite ; et 3) à interdire toute publication du texte de la conférence, notamment dans les actes du colloque auquel la communication était partie intégrante. »

Le professeur, la face longue, sentit comme un abattement et se renversa lentement dans son fauteuil.

Il avait l'impression de faire un mauvais rêve.

— Ne faites pas cette tête, George, dit le recteur, qui aimait à l'occasion, en employant un ton familier, secouer son personnel. Après tout, on ne vous accuse pas d'infanticide, que je sache.

Le professeur Connelly esquissa un faible sourire comme son patron, une main amicale posée sur son épaule, le guidait vers un fauteuil.

Cette fois, c'était Marshall Berger qui avait demandé à le voir « dans les plus brefs délais ». Une heure plus tôt, par la porte entrouverte de son bureau, il avait surpris les propos que sa secrétaire échangeait au téléphone avec celle du professeur. Il n'avait entendu que des bribes de leur conversation, mais celles-ci avaient été suffisantes pour lui faire tout comprendre : George Connelly avait des problèmes avec la justice à la suite de sa communication sur Feinstein. Quand son employée eut raccroché, le recteur était venu se planter devant elle et l'avait sommée, sans détour, de lui dire de quoi il retournait. Elle lui avait alors appris que George Connelly était accusé de délit diffamatoire.

— Cette action en justice me laisse un peu pantois, George, confia le recteur, l'air perplexe, tout en s'installant derrière son imposant bureau. Je doute qu'elle soit fondée en droit. Après tout, nous ne nous sommes pas attaqués physiquement à son cadavre ou à sa sépulture, euh ? Une atteinte à la mémoire d'un mort sur le plan moral ne constitue pas en soi une violation à la loi, non ?

— À moins, répartit l'autre avec une expression dépitée, que par cette atteinte on ait cherché à discréditer ses héritiers.

— Ses héritiers ? Mais de quoi parlez-vous ?

— On prétend, Marshall, dit le professeur dans un long soupir, que j'aurais délibérément voulu porter atteinte à l'honneur de sir Paul Harrisson.

— Pardon ?

Connelly lui révéla les arguments avancés dans la déclaration justifiant cette intention coupable.

— Eh bien ! s'exclama le recteur, si ce n'est pas de la paranoïa, j'ignore ce que c'est !

Là-dessus, il demanda à George Connelly s'il avait déjà pris contact avec un avocat.

— J'étais sur le point de le faire, répondit le petit homme.

— Et si je demandais à un ami, rattaché à la faculté de droit, de nous éclairer d'abord un peu sur tout ceci ? Il pourrait aussi nous proposer un bon homme de loi. Avez-vous déjà pensé à quelqu'un ? Non ? Alors, je le fais appeler sur-le-champ. Hum, il se trouve en ce moment à son bureau et attend, à la vérité, mon coup de fil pour venir jeter un œil à cette assignation à comparaître, que je vous ai demandé d'apporter.

Marshall Berger pressa un bouton du téléphone et demanda à sa secrétaire de convier maître Morton Irwin à venir les rejoindre.

— Les frais liés à cette action en justice seront payés à même le budget du comité organisateur, George, informa-t-il, sitôt après avoir raccroché.

— Merci, Marshall, mais cette action me vise personnellement.

— Non, rétorqua le recteur sur un ton réprobateur. Elle vise le comité, lequel a approuvé toutes les communications prononcées au cours du colloque. Peu importe si celui-ci est ou non identifié dans cette demande en justice. Et croyez-moi, cette proposition que je vais soumettre au comité va passer comme dans du beurre. Après tout, à titre de président, j'ai tout de même une certaine influence sur les membres, non?

Un peu plus tard, de petits coups étaient frappés à la porte, laquelle s'ouvrit sur l'homme malingre qu'était le doyen de la faculté de droit de l'université de Birmingham, Morton Irwin.

Le juriste prit tranquillement connaissance de l'assignation et de la déclaration, tandis que Marshall Berger et George Connelly, assis autour de la longue table, le regardaient faire en silence.

— Alors, Morton? dit le recteur, quand l'autre eut reposé les feuilles de grand format.

— Il n'y a pas de doute que la première chose à faire pour monsieur Connelly est de produire au greffe du tribunal un acte de comparution signé par lui-même ou son procureur.

— Ce sera fait, déclara le recteur, mais... votre avis sur une telle action? Il me semble qu'elle est tirée par les cheveux, non?

— Elle est très inhabituelle, nuança le juriste.

— Qu'en est-il de cette intention qu'on me prête d'avoir cherché à nuire à l'héritier de Feinstein? demanda le professeur, l'air soucieux. Des arguments avancés à son appui?

— Vous n'avez jamais eu, comme de raison, une telle arrière-pensée, monsieur Connelly? fit Irwin, avec un mince sourire.

— Évidemment non, Morton, s'empressa de répondre Marshall Berger. Notre seul intérêt était de servir la vérité. Et c'est moi qui ai autorisé cette communication. Je me ferai un plaisir d'en témoigner.

— Je ne saurais trop vous dissuader, Marshall, de faire une telle déposition, rétorqua le juriste.

Dans cette affaire, indiqua-t-il, le président de comité était une partie intéressée analogue à celle du chef de pupitre du journaliste accusé de diffamation. Et pour cette raison même, il pesait déjà sur lui un soupçon de collusion avec le prévenu.

Le recteur eut un très net haussement de sourcils, qui équivalait, chez un individu aussi imperturbable, à un sursaut.

— Ensuite, parce qu'un ordre reçu, renchérit-il, constitue l'un des éléments à l'encontre de la démonstration de la bonne foi, laquelle est la défense communément utilisée dans les circonstances.

Là-dessus, le juriste expliqua que l'immunité accordée à la critique scientifique était sujette à l'obligation de faire la preuve du respect des règles de la profession.

— À ce propos, je crois comprendre, professeur, qu'on a porté à votre connaissance la découverte de ces lettres après la date fixée pour ce colloque?

— C'est exact.

— Il faudra s'attendre à ce que la partie demanderesse l'invoque contre vous, dans ces éléments complémentaires du paragraphe 5 dont elle dit vouloir faire part à l'audience. On prétendra que vous avez conduit vos recherches avec précipitation pour respecter cette échéance.

— Mes recherches, monsieur Irwin, répliqua le professeur, ne pouvaient être poursuivies de toute manière.

— Et pourquoi?

— Entre autres à cause de l'impossibilité de connaître l'identité de celle que je présume être l'auteur de *Young Alice.*

Morton Irwin lissa sa moustache poivre et sel d'un air songeur.

— Il serait donc délicat de donner cet argument en défense, professeur, observa-t-il. On pourrait le retourner contre vous, sous prétexte qu'il s'agit d'une assertion invérifiable.

— Malgré tous les arguments qui la soutiennent?

— Oui.

— Une telle investigation sur son identité relève, Morton, les interrompit Marshall Berger, d'un tout autre domaine que la recherche universitaire.

— Je veux bien, mais un tel argument n'aura aucun poids auprès du juge.

Le recteur, les mains jointes derrière la tête, fixa le juriste en affichant une expression contrariée, presque boudeuse.

— Êtes-vous en train de suggérer, Morton, fit-il, que malgré la pureté de notre intention la justice nous déclarera coupables de malveillance ?

— Vous vous en doutez, Marshall, ajouta le doyen de la faculté de droit avec une expression presque maligne, la justice ne peut sonder les âmes. À défaut de déterminer la vérité, elle doit se contenter de la vraisemblance. Cela dit, je ne crois pas cette cause déjà entendue et jugée en votre défaveur, mais vous aurez besoin d'un excellent avocat.

— À ce propos, pourriez-vous nous en suggérer un ?

Morton Irwin réfléchit un instant, puis nomma un certain maître Grant, dont il dit le plus grand bien.

— Il s'est fait une spécialité de défendre des propriétaires de journaux accusés de diffamation par des célébrités.

Marshall Berger lui demanda de prendre aussitôt contact avec lui et de fixer rendez-vous.

— La démonstration de la bonne foi, monsieur Irwin, demanda le professeur, est-elle la seule défense utilisable dans mon cas ? J'ai pris de nombreuses libertés avec la déontologie professionnelle, pour tout dire...

— La pureté d'intention est la seule justification dont vous pouvez bénéficier, monsieur Connelly. Comme de raison, j'exclus d'emblée que vous puissiez, d'ici le procès, vous prévaloir du droit à la preuve.

— Le droit à la preuve ?

— Oui. Il n'est généralement pas accordé, la diffamation étant en principe constituée sans égard à la vérité du fait imputé.

Il s'agissait d'une particularité de la *Loi sur la diffamation* que le juriste, à la demande de son ami Berger, prit le temps d'expliquer au professeur Connelly. Comme l'usurpation de droits d'auteur ne relevait pas de la vie privée, mais regardait les intérêts de la collectivité, la justice permettait de faire cette preuve. Avec celle-ci, il n'y avait pas lieu de chercher à savoir si la diffamation était ou non animée de malveillance, la justice ne se préoccupant pas de connaître, comme de juste, l'état d'âme du dénonciateur d'un criminel.

— Si donc vous réussissiez à prouver que Charles Feinstein s'est rendu coupable de fraude, dit-il, cela constituerait alors un fait justificatif absolu qui emporterait l'acquittement. Non seulement seriez-vous alors acquitté de ce délit diffamatoire mais, par une telle défense, vous entameriez à votre tour une procédure contre celui qui vous poursuit aujourd'hui. Autant au pénal qu'au civil, d'ailleurs. Au pénal par le ministère public, le délit de fraude étant de juridiction criminelle ; puis au civil par la partie lésée, la réclamation en dommages-intérêts se faisant à ce palier de compétence. Il va de soi que cette démonstration doit être complète, parfaite et corrélative. Réclamer ce droit pour reprendre devant le juge les arguments que vous avez avancés au cours de votre conférence ne servirait à rien.

Le professeur eut un autre long soupir. Seul un miracle, songea-t-il, pourrait un jour le laver de tout blâme.

25

Avec son haut plafond en forme de voûte et ses nombreux enfoncements et recoins tant au rez-de-chaussée qu'à l'étage supérieure, le Treasure Island Bookstore avait l'aspect d'une caverne. Cela avait d'ailleurs beaucoup plu au premier acheteur. Profitant de la faillite de deux librairies d'occasion, il avait fait l'acquisition de l'ensemble de leurs fonds de commerce pour une fraction de leur valeur marchande. Il avait ensuite logé cette montagne de livres usagés dans ce local d'Ali Baba et ouvert boutique au lendemain de la Deuxième Guerre mondiale. De nombreuses années plus tard, il vendit le magasin à son beau-frère, lequel le revendit à son tour, en septembre 1956, au propriétaire actuel, Harold Gibson.

Exception faite du comptoir-caisse et du large escalier en forme de fer à cheval menant à l'étage, cette vaste librairie n'était qu'étagères remplies à craquer de bouquins. Il y régnait une odeur de poussière et de renfermé, émanant des livres eux-mêmes, aurait-on dit, tous d'occasion et parfois très vieux. Cette odeur, loin d'être repoussante, avait, pour le fureteur, quelque chose d'attirant. Une impression très nette se dégageait de ce lieu : on n'avait jamais pu en inventorier tous les livres — la tâche apparaissant par trop gigantesque et comme futile — et de surprenantes découvertes pouvaient y être faites.

En ce samedi 22 juin, après une escapade de deux jours à la campagne, Harold Gibson, le sang vivifié, l'esprit allègre, s'installa de nouveau derrière le comptoir de sa librairie. À cinquante-sept ans, ce très grand homme, plutôt bedonnant et arborant une moustache noire comme du charbon, faisait parfois ainsi, à l'improviste, l'école buissonnière. Mais il ne la faisait jamais le samedi, parce que c'était la journée où son commerce était le plus achalandé et il aimait alors, comme il disait, veiller lui-même au grain.

Arrivé une quinzaine de minutes avant l'heure d'ouverture, le libraire prit connaissance du nombre total de ventes des deux derniers jours. Puis il s'intéressa aux livres mis de côté. Ces bouquins n'étaient pas pris en compte comme vendus, mais ils donnaient tout de même une indication sur le volume de ventes pour la semaine suivante.

Jetant un œil sous le comptoir où ils étaient rangés, quelle ne fut pas sa surprise d'y trouver un exemplaire de *Young Alice* semblant correspondre en tous points à ceux recherchés par ce collectionneur passé à son commerce une dizaine de jours plus tôt. Trouvant sous l'un des rebords de son sous-main la carte professionnelle du collectionneur, monsieur Gibson en vérifia au dos les éléments descriptifs, notés à la main : « Format *in-plano*, 1927, édition numérotée ».

Pas de doute, cet exemplaire, le numéro VII, était l'un des livres que monsieur Harper cherchait.

Quand son commis, Paul Hench, entra un peu plus tard, le libraire lui fit signe de s'approcher. Durant l'absence de son patron, libéré de sa tâche habituelle de classer les livres, il avait occupé la place réservée à Harold Gibson, c'est-à-dire qu'il s'était assis derrière le comptoir et avait tenu la caisse. Durant deux jours, il avait eu la responsabilité d'ouvrir les portes du commerce et de les fermer, et, durant ce temps, il avait été roi et maître du Treasure Island Bookstore. À ce titre, à l'instar du propriétaire, il s'était surtout employé à feuilleter des magazines.

— Dis-moi, Paul, l'aborda son patron en lui désignant l'exemplaire de *Young Alice* mis de côté, d'où ce livre sort-il ?

Le libraire se rappelait que monsieur Harper, en lui tendant sa carte, lui avait dit ne pas en avoir repéré un semblable sur les rayonnages.

— Il a été réservé jeudi dernier... pour une certaine Indira Patel, ajouta-t-il, après l'avoir vérifié sur la fiche insérée entre les pages comme on l'aurait fait d'un signet.

À ce nom à consonance étrangère, Paul Hench se rappela cette jeune cliente d'origine indienne. Elle s'était présentée devant lui, plusieurs bouquins dans les bras, dont ce vieil exemplaire de *Young Alice*. Expliquant ne pas avoir sur elle suffisamment d'argent pour payer les trois livres sterling qui en étaient demandées, elle s'était informée si elle pouvait revenir chercher ce livre un autre jour. Le commis lui avait répondu par l'affirmative.

— J'ignore d'où elle l'a sorti, patron, fit Paul. Il faudra le lui demander. Elle l'avait tiré elle-même d'une étagère.

— Ah bon, fit Gibson, pour ensuite ajouter, au bout d'un court instant de réflexion : je crains, Paul, que ce livre ne pouvait être retenu par elle, puisqu'il avait déjà fait l'objet, en quelque sorte, d'une réservation.

Le libraire tendit à son commis la carte de monsieur Harper.

— Regarde au dos. Il est passé il y a déjà plus d'une semaine. Il a donc la priorité, n'est-ce pas ? Cette jeune femme a-t-elle précisé quand elle reviendrait ?

Paul fit non de la tête.

— Et de plus, reprit le libraire insidieusement, je remarque qu'il n'y a pas eu de dépôt ?

Le commis rougit et reconnut ne pas avoir demandé l'habituel dix pour cent de cautionnement puisqu'il ne s'agissait que de trente pennies.

— Belle initiative, Paul ! remarqua son patron, à l'agréable surprise de l'autre.

Puis il ordonna :

— Tu me laisses cela entre les mains. Du reste, autant oublier avoir mis ce livre de côté, si tu vois ce que je veux dire ?

Là-dessus, il lui fit un ostensible clin d'œil complice. Le commis acquiesça à l'ordre, puis monta à l'étage.

Le libraire tourna la page couverture et eut une moue de dépit en voyant le prix marqué à la mine de plomb : « 3 £ ». C'était le prix inscrit par son prédécesseur ou même le prédécesseur de celui-ci. Devant ce montant qui n'avait pas, à l'évidence, tenu compte de la hausse du coût de la vie des dernières années, Harold Gibson tira d'un vieux pot de colle transformé en porte-crayons une gomme à effacer et fit disparaître ce prix ridicule. À la suite de quoi il décrocha le combiné de son téléphone et composa le numéro apparaissant sur le petit carton fort que lui avait remis monsieur Harper.

Le Français consacrait souvent ses samedis aux petites tâches administratives dont il ne pouvait s'occuper durant la semaine. Il était seul à son bureau quand il reçut, émanant de son téléphone vert, l'appel du libraire. Depuis les deux dernières semaines, sa recherche des exemplaires avait donné peu de résultats. Il en avait retrouvé un seul et, il ne fallait guère s'en surprendre, la théorie des probabilités étant ce qu'elle est, l'intérieur de la couverture s'était révélé vide.

Le détective laissa en plan sa paperasse et, moins d'une demi-heure plus tard, il se présentait au Treasure Island Bookstore.

— Ah! monsieur Harper, s'exclama monsieur Gibson, le reconnaissant. Comment allez-vous?

Ils échangèrent une poignée de main, puis le commerçant sortit de sous le comptoir l'exemplaire de *Young Alice* et le déposa devant son client.

— Il s'agit du numéro VII. Vous n'aviez sans doute pas bien regardé lors de votre première visite.

Le détective feuilleta, mine de rien, les premières pages, puis retourna à la page couleur. Malgré lui, il se mit à la fixer. À première vue, la page de garde n'était pas doublée.

— Un problème avec la couverture, monsieur Harper? demanda le libraire, intrigué.

Le Français afficha un sourire embarrassé au coin des lèvres, comme si on venait de le prendre en défaut. Il referma aussitôt le livre.

— C'est le seul que vous ayez? s'enquit-il.

— J'ignorais même que je le possédais, répondit le commerçant.

— Combien?

C'était la question à laquelle le libraire s'était préparé à répondre.

— Ce livre fut, de façon malencontreuse, réservé pour une autre personne, monsieur Harper, commença-t-il. Une jeune cliente du nom de... (il vérifia la fiche remplie par son commis) Patel. Mon commis n'était pas au courant que vous étiez à la recherche de ces exemplaires. C'est une erreur de sa part, j'en conviens, mais bon, j'aurai à dédommager cette jeune femme.

— Combien? répéta le détective, sans chercher à jouer de finesse.

Après une longue pause, pendant laquelle le libraire posa en alternance le regard sur son client et sur le livre tout en se prenant le menton et en proie à une laborieuse réflexion, il finit par dire:

— Je peux difficilement demander moins de vingt-cinq livres sterling.

Le Français sortit son portefeuille et commença à étaler devant le libraire étonné — il ne s'attendait de toute évidence pas à conclure si facilement le marché — cinq billets de cinq livres chacun.

— Vous allez vite en affaires! s'exclama le libraire.

— Bien le bonjour, fit le détective, en glissant le bouquin sous son bras.

Et sans plus, il sortit.

Plus loin, il s'arrêta pour mieux examiner la page de garde. Elle n'était pas doublée.

26

Chaque locataire de l'immeuble où étaient situés les bureaux Muller et Associés, avocats disposait au sous-sol d'une ou plusieurs petites pièces d'entreposage. Le nombre de celles-ci était attribué selon les unités de superficie louées aux étages et, comme le cabinet d'avocats était le plus important des locataires, trois de ces pièces lui étaient réservées. Cette partie du sous-sol était un endroit peu fréquenté ; des jours, voire des semaines, pouvaient passer sans que n'y vienne personne ou presque.

Ce soir-là, vers les dix-neuf heures, après avoir averti l'agent de sécurité de ne pas se surprendre d'apercevoir, au cours de sa tournée d'inspection, de la lumière sous le pas de la porte numéro 14, William Muller prit l'ascenseur jusqu'à l'étage souterrain. Il pénétra dans la salle d'entreposage à l'aide de sa clé personnelle, alluma le plafonnier, puis, après avoir affiché sur la porte un mot demandant à ne pas être dérangé, il la verrouilla derrière lui. Il avisa la table et la chaise pliantes qu'il avait utilisées au cours de sa première visite. Il les réinstalla au milieu de la pièce. Dans la boîte de classement qu'il avait apportée, il tira une lampe de bureau et une rallonge. Il brancha celle-ci dans l'unique prise de courant au mur, puis, au prolongateur électrique, la lampe qu'il avait posée sur le dessus de la table.

L'avocat se rendit face à un des trois classeurs, sortit deux clés auxquelles était attachée, à l'aide d'une ficelle, une étiquette blanche et ronde, s'accroupit et déverrouilla avec l'une d'entre elles le tiroir du bas. En le tirant à lui, un coffre presque aussi large et haut que le compartiment lui-même et à moitié aussi long s'offrit à sa vue. Il l'extirpa à l'aide de la poignée rabattable du dessus, le posa sur le sol et, avec la seconde clé, ouvrit le couvercle. Huit grosses enveloppes matelassées y étaient rangées à l'horizontale.

Deux d'entre elles étaient légèrement désalignées. Il s'agissait des enveloppes qu'il avait descellées et consultées car elles étaient titrées : « Journal. Registres n°s 4 à 7 », et : « Journal. Registres n°s 10 à 13 ». Du bout des doigts, l'avocat écarta à tour de rôle les suivantes pour prendre connaissance du contenu de l'étiquette placée en leur milieu. Il passa celles identifiées « *Black Sheep* », « *Young Alice* » et « Écrits poétiques » avant d'extirper les deux qui l'intéressaient, l'une étiquetée « Lettres », l'autre « Journal. Registres n°s 8 et 9 ». Il se releva et, les emportant avec lui, alla s'asseoir.

Au dos de l'enveloppe contenant les missives de Feinstein, un sceau de cire rouge à l'effigie de la Société des garants de Lewis Nunn fermait le rabat. William Muller sortit d'une poche de son pantalon un canif, en ouvrit la lame et trancha le sceau. Il glissa la main à l'intérieur de l'enveloppe et retira, en une seule fois, tout son contenu. Il le posa devant lui, alluma la lampe de bureau et l'approcha de la pile de feuilles manuscrites. Elles ne semblaient pas avoir trop souffert de l'acidification du papier. Les plus anciennes étaient un peu plus jaunies, nullement friables. Le fait qu'elles n'aient pas été exposées à la lumière et à l'air ambiant pendant un grand nombre d'années expliquait leur bon état relatif.

La première sur le dessus présentait l'écriture ronde et irrégulière de la main de l'enfant de cinq ans qu'avait été Charles Feinstein. William Muller supposa que le classement des lettres devait respecter l'ordre chronologique. Pour s'en convaincre, il prit l'ensemble des feuilles par le coin droit supérieur et les fit défiler en portant son attention sur leurs dates : elles étaient bien placées chronologiquement, allant de la plus ancienne à la plus récente.

De la poche droite de son veston, l'avocat sortit un calepin, l'ouvrit à la page dont un coin avait été replié en guise de signet et consulta la première date qui y était inscrite. De la pile de lettres, il extirpa celle portant la même date. Il retourna à son calepin, prit connaissance de la seconde date et, un instant plus tard, sortait une seconde lettre. Le même processus se répéta pour la dernière date. Ces indications du jour, du mois et de l'année, William Muller les avait relevées lors de sa consultation d'un exemplaire de *Lettres et Pages de journal de Lewis Nunn*.

Mettant de côté les autres, il porta son attention sur les trois missives devant lui. Elles avaient une caractéristique commune : la même destinataire, Florence Tennyson, celle-là même que le professeur Connelly, dans sa communication, avait supposée être « au cœur de toute cette affaire ». Il les lut avec minutie, pour s'assurer que leur contenu n'avait pas fait l'objet d'une quelconque censure dans la version publiée. Avait-on délibérément omis un ou plusieurs indices — autres que ceux déjà rappelés par le conférencier — laissant entendre qu'elle aurait eu quelque chose à voir avec la création de *Young Alice*? L'avocat n'en trouva pas.

Il leva le regard sur la seconde enveloppe, titrée « Journal. Registres nos 8 et 9 ». L'espace d'un instant, l'idée de procéder illico à la consultation de cette partie du journal de Feinstein lui traversa l'esprit. Mais il calma son impatience. Cela pouvait attendre encore un peu. Une autre question, moins cruciale certes que celle l'ayant fait revenir dans cette salle sombre, méritait tout de même qu'on tente d'y répondre. Quelle particularité, s'il s'en trouvait une, Higgins avait-il remarquée à propos du papier à lettres, que sir Paul n'avait pas, lui, notée ?

L'avocat ramena la pile des missives devant lui, la retourna sens dessus dessous et commença son inspection du papier par la dernière feuille. (L'usage d'un même papier à lettres avait dû être pris plus tard que tôt dans sa vie, conjecturait-il ; du moins, sans doute pas durant l'enfance ou l'adolescence.) Cette missive du 21 novembre 1926 dans laquelle Feinstein demandait au directeur d'une agence immobilière, un certain monsieur Firth, de s'occuper de la vente de son appartement londonien, Muller la plaça face à l'ampoule pour voir le papier en transparence. Ce dernier ne présentait pas de filigrane. L'avocat procéda à ce bref examen pour une dizaine d'autres lettres, y inclus celles à Florence Tennyson, avec le même résultat.

Il interrompit là sa vérification pour prendre dans le tiroir d'un autre classeur un étui de cuir qui contenait une loupe.

Il reprit son examen depuis le début. La lettre de fin novembre 1926 fut de nouveau placée à contre-jour et sa surface scrutée à l'aide de la lentille grossissante, comme le furent ensuite, de manière systématique, toutes les autres lettres. Tout cela une fois encore en vain. Aucun dessin ou aucune marque imprimée dans la pâte n'était davantage visible. William Muller examina alors d'autres aspects du papier, espérant ainsi déceler une épaisseur hors de l'ordinaire, ou une surface grenue, ou encore un quadrillage non habituel. Il ne détecta rien de la sorte. À la fin, il en arriva à la conclusion suivante : ce papier était tout à fait ordinaire et disparate, et Higgins avait menti en disant avoir reconnu une particularité qui était propre et commune au papier à lettres de Charles Feinstein. Ce mensonge et sa pseudo-vérification au collège Duffin avaient été, à l'évidence maintenant, un prétexte pour rencontrer James Gardiner et lui acheter les lettres destinées à l'imprimeur Seltz.

Higgins avait-il délibérément menti en déclarant authentiques les lettres à l'imprimeur Seltz ? Muller ne pouvait le déterminer avec certitude. De toute manière, seuls des experts, à l'aide de pièces de comparaison et d'appareils de grossissement, pourraient sans conteste trancher la question.

L'avocat débarrassa l'espace de travail devant lui et prit en main l'autre enveloppe. Les registres qu'il avait déjà consultés ne couvraient pas les années au cours desquelles les lettres à cette mystérieuse Florence Tennyson avaient été écrites. Ces registres précédaient et suivaient cette période. C'était donc dans les registres numérotés 8 et 9 que Charles Feinstein faisait mention de l'envoi de ces missives. Qu'est-ce que ce dernier, dans le secret de son journal, pouvait dire de plus de cette mystérieuse femme ? Y révélait-il enfin sa véritable identité ? Fournissait-il des indices qu'elle fût, comme l'avait suggéré le conférencier, d'intelligence avec Feinstein ? Ou, encore, les entrées correspondant aux dates des lettres faisaient-elles partie des pages qui avaient été retranchées par le père de sir Paul ? Seul Julius Harrisson avait consulté ces registres. Son fils n'avait pas été au-delà du cinquième, ni non plus, pour cette raison, Mark Higgins.

L'avocat retourna l'enveloppe, prit son canif et trancha le sceau de cire en suivant la ligne formée par l'extrémité du rabat. Il retira les registres et consulta les entrées aux périodes des trois dates inscrites dans son calepin. Des entrées correspondaient, de fait, à ces dates.

À sa grande surprise, dans aucune d'entre elles, Feinstein ne faisait mention de lettres expédiées à Florence Tennyson.

27

Le libraire Gibson se tint subrepticement sur ses gardes sitôt qu'il vit la jeune fille d'origine indienne pénétrer dans son commerce et se diriger vers le comptoir-caisse. La revue qu'il feuilletait jusque-là de façon distraite devint aussitôt captivante. Au point qu'il parut en oublier pendant un petit moment la présence de cette cliente, arrivée devant lui et attendant poliment que son attention se porte sur elle.

— Monsieur ? se résigna-t-elle à l'interpeller.

Au bout d'un autre instant, Harold Gibson daigna s'extirper de sa lecture et lever les yeux. La jeune fille l'informa venir payer un livre retenu le jeudi précédent au nom d'Indira Patel.

— Vous avez le reçu de dépôt ?

Elle répondit qu'on ne l'avait pas avisée de la nécessité d'en verser un.

Sans un mot, d'un simple signe des yeux, le libraire lui indiqua alors un papier affiché au mur. Il s'agissait des modalités pour les livres réservés. La première stipulait : « Un cautionnement équivalant à 10 % est exigé ».

— C'est un jeune homme dans la vingtaine qui vous a servie ?

— Oui.

Le libraire prit un air réprobateur.

— Il faudra que je rappelle à Paul les consignes. À quel nom dites-vous ?

— Indira Patel.

Il se mit à consulter la tablette sous le comptoir où les livres en réserve étaient placés.

— Patel, Patel... Je ne vois pas. De quel titre s'agit-il ?

— *Young Alice*, monsieur.

— Oh, fit-il en s'arrêtant de chercher et relevant la tête. Un vieil exemplaire d'assez grand format ?

— Oui.

Il afficha une moue penaude.

— En l'absence du duplicata de dépôt, j'ai cru qu'il avait été mis de côté par erreur. Je crains... Enfin, voilà: je l'ai vendu. Je l'avais placé sur le comptoir en prévision d'aller le classer plus tard sur les rayonnages, mais entre-temps un client venu payer pour un autre livre l'a aperçu et s'y est intéressé au point de l'acheter. Je suis désolé.

La jeune fille le dévisagea avec un air de suspicion. Elle se rappelait très bien le signet à son nom que le commis avait inséré dans le livre. Comment le commerçant avait-il pu croire à une erreur ?

— J'ai d'autres éditions de *Young Alice* sur les rayonnages, mademoiselle Patel. Montez voir, l'exhorta-t-il à faire, en lui indiquant le deuxième étage. Comme dédommagement, je vous consentirai un rabais sur le prix marqué.

Elle fit non de la tête. L'exemplaire qui l'intéressait était celui qu'elle avait réservé.

— Alors, rétorqua le libraire, perdant du coup sa façon débonnaire, je ne peux que m'en dire de nouveau désolé et vous conseiller d'aller voir ailleurs.

Là-dessus, sans plus, il reporta son attention sur son magazine.

— Les livres y seront sûrement mieux rangés, commenta l'autre sur un ton acide.

Harold Gibson fit la sourde oreille à ce commentaire désobligeant et continua à poursuivre sa lecture, jusqu'à ce qu'il entende le claquement de la porte d'entrée, que la mécontente venait de fermer derrière elle. Il posa alors son magazine, décrocha le combiné du téléphone placé sur le comptoir et forma un numéro interne. Une petite sonnerie se fit entendre à l'étage.

— Paul, fit-il dans l'appareil, tu peux venir au comptoir ?

Trente secondes plus tard, le commis se postait devant son patron.

— Je viens tout juste d'avoir la visite de la jeune personne qui avait fait mettre de côté le vieil exemplaire de *Young Alice*.

— Ah. Les choses se sont-elles bien déroulées, monsieur Gibson?

— Oui, oui. Mais, voilà... tu te rappelles que je t'ai demandé d'où sortait ce livre?

— Oui, je m'en souviens. Vous lui avez demandé où elle l'avait pris?

— Hum, non, j'ai oublié. Mais elle nous a fourni un indice. Les livres ne seraient pas rangés à leur place sur l'étagère.

— Ah?

— Assure-toi, veux-tu, de les classer par ordre alphabétique des auteurs, puis ensuite des titres.

— Tout de suite, monsieur Gibson.

Une fois remonté à l'étage, Paul se rendit dans la section littérature, consulta l'étagère identifiée « No-Oc » et repéra sans difficulté les exemplaires des œuvres de Lewis Nunn. Il vérifia leur classement, comme celui des livres avoisinants. Tout était en ordre et à sa place. Il passa au rayonnage du dessus, puis ensuite à celui du dessous, qui était la toute première tablette de rangement, laquelle s'élevait à une dizaine de centimètres du sol. L'ordre de deux bouquins était inversé et, comme il en retirait un pour le déplacer, il constata que quatre ou cinq livres étaient tombés ou coincés derrière l'étagère.

Il les retira et, à sa surprise, il réalisa que l'un d'entre eux était un autre vieil exemplaire numéroté de *Young Alice*. Il se dirigea alors d'un pas allègre vers une petite table où reposait l'appareil téléphonique dont il avait fait usage un moment plus tôt, décrocha le combiné et composa un numéro de poste.

— Monsieur Gibson, annonça-t-il, notre jeune cliente n'a pas trouvé son exemplaire sur l'étagère, mais plutôt derrière. Je viens d'en découvrir un autre parmi ceux qui étaient tombés.

— Ah, oui? Viens me le montrer, Paul, s'empressa d'ordonner Gibson.

Une fois qu'il l'eut entre les mains, le libraire l'ouvrit aux dernières pages.

— « Imprimerie Seltz Brothers and Others. 1927. Édition limitée à dix exemplaires », lit-il à haute voix, satisfait. C'est bien ça ! Je téléphone tout de suite à monsieur Harper.

— Votre collectionneur ?

— Oui.

Une heure plus tard, le client le rappelait et Harold Gibson lui annonça :

— J'ai un autre exemplaire de l'édition que vous recherchez. L'exemplaire III... Son état ? Excellent.

Le libraire, qui avait eu le temps de l'examiner sous toutes ses coutures avant que le client lui rende son coup de fil, fit quand même cette nuance :

— La page de garde du plat recto semble avoir été doublée, mais cette petite anomalie ne le dépare en rien, croyez-moi.

Il sembla à Harold Gibson qu'il aurait pu demander pour cet autre exemplaire le double du prix sans que monsieur Harper hésite une seule seconde à l'acheter. Le client paya plus rapidement encore que la fois précédente et c'est tout juste s'il prit la peine de le saluer avant de sortir.

Une fois dans sa voiture, le détective Rohmer, qui s'était gardé cette fois de le faire en présence du libraire, inspecta la page couleur. Elle était bel et bien doublée.

L'idée d'ouvrir sur place la couverture ne lui traversa pas même l'esprit. Il se rendit plutôt au 12 d'Attenborough Street. Il n'avait pas prévenu Jessica Cohen de ce nouvel achat et c'est avec beaucoup d'effusion qu'il fut accueilli par elle et Alexander Zalaski, quand il leur exhiba le dédoublement de la page de garde du numéro III.

— À présent, tout ce qu'il nous faut, dit-il, en forçant son sourire, c'est de la vapeur d'eau.

Ils passèrent dans la cuisine. Le Hongrois mit de l'eau à chauffer et s'occupa de débarrasser la table. Le moment était intense pour madame Cohen et son aide, mais étrangement c'était le Français qui paraissait le plus tendu des trois, à en juger par les efforts qu'il faisait pour ne pas le montrer.

En exposant le papier couleur à la vapeur sortant du bec de la bouilloire, Alexander Zalaski finit par humidifier la colle. Puis, sous le regard anxieux de sa patronne et du détective, il commença à détacher à l'aide de la pointe d'un couteau la page couleur du dessus.

Au bout d'un moment, la soulevant petit à petit, le coin d'une autre feuille apparut. L'aide s'interrompit un instant, échangea un rire nerveux avec les deux autres, puis, plus méticuleux que jamais, il s'appliqua à décoller le pourtour du haut jusqu'à ce qu'il puisse, avec d'infinies précautions pour ne pas l'abîmer, extirper cette feuille de sa gaine.

De dimension standard, un rien jaunie aux coins, elle présentait un texte manuscrit à l'encre. Les yeux du Hongrois se portèrent d'abord sur la signature, laquelle était « Charles Lutwidge Feinstein », puis sur son contenu. Il eut, dès le début du second paragraphe, une réaction émotive, cessa du coup sa lecture et passa le document à sa bienfaitrice.

— Lisez, dit-il.

Incapable de tenir la feuille sans trembler, Jessica Cohen la posa sur la table et, après avoir chaussé ses verres et inspiré à quelques reprises pour se calmer un peu, elle lut ce qui suit, sa lecture entrecoupée par des pleurs, secouée qu'elle était par l'émotion :

« Cambridge, 23 septembre 1895

À qui de droit,

Moi, Charles Lutwidge Feinstein, sain de corps et d'esprit, fais l'aveu suivant : je ne suis pas le véritable auteur de *Young Alice,* n'ayant que partiellement contribué à la trame de l'histoire.

J'ai tenté, à l'été 1894, d'écrire un conte reprenant les personnages et les actions que je racontais de vive voix aux sœurs Levine, mais j'en fus incapable. Ce que j'ai soumis à l'éditeur Dwight W. Haythorne fut le manuscrit d'Elizabeth, la fille aînée du docteur Robert Levine, décédée quelques semaines plus tôt. Je recopiai de ma main son manuscrit, contenu dans des cahiers d'écolier, tout en modifiant très légèrement son récit de manière à lui donner l'uniformité qui lui manquait (du moins, que je croyais qui lui manquait). Mais le style à l'emporte-pièce, la caractérisation outrancière des personnages, l'absurde des situations comme seul un enfant peut en imaginer, bref tout ce qui en fait son originalité et sa richesse, sont d'elle.

Elle est venue me présenter l'histoire qu'elle avait tirée de mes péripéties verbales pour savoir ce que j'en pensais. Elle avait été informée par le révérend Chapman, à la fin de l'été, de mon incapacité à l'écrire. Elle était enthousiaste à l'idée d'établir une collaboration entre nous. Elle suggérait que nous devenions coauteurs. Peut-être y voyait-elle aussi une façon de faire diversion à sa mort prochaine.

J'ai dit que j'acceptais son offre. En lisant son histoire, j'ai eu le sentiment, je dois le reconnaître, d'une injustice, d'un vol. Après tout, c'était mon histoire ! En me confiant ses cahiers d'écolier, elle avait cru me faire plaisir mais, de fait, elle m'avait meurtri au plus profond de moi-même. J'ai prétendu qu'il y avait encore beaucoup de travail, mais que je voulais bien tenter de récrire son conte.

Sa mort subséquente et le fait qu'elle m'avoua l'avoir composé en secret, à l'insu de tout le monde, me poussèrent à un noir dessein : celui de faire croire que c'était moi qui l'avais écrit. Ne m'avait-on pas fait une demande en ce sens ? Quand j'allai porter le manuscrit recopié à l'éditeur Haythorne, je n'ai pas osé donner comme nom d'auteur Charles Lutwidge Feinstein, mais plutôt celui de... Lewis Nunn. Je suppose que c'était inconsciemment une forme de disculpation.

Toute cette célébrité des derniers mois pèse sur mes épaules comme mille fardeaux dont je veux aujourd'hui, par cette confession, me libérer.

Charles Lutwidge Feinstein»

Un post-scriptum suivait :

«P.-S. (1927) Les cahiers se trouvent au Isabella Carlisle Berenson Museum, dans la salle Joan of Arc, à l'intérieur du carton titré : *The Maid of Orléans — Truthfulness and Falsehood,* et rangé dans la bibliothèque de style Régence.»

Quand Patrick Rohmer commença à prendre à son tour connaissance de la déclaration, il fut pris d'un excès de fou rire convulsif, incontrôlable ; à la suite de quoi, devant l'étonnement que son étrange comportement avait provoqué chez ses hôtes, il devint rouge comme une écrevisse.

— Je n'étais pas tout à fait certain, finit-il par admettre, en guise d'explication et d'excuse, qu'il s'agissait de votre tante Elizabeth. D'ailleurs, personne ne pouvait affirmer qu'elle ou un autre l'était avant que cette confession soit découverte, n'est-ce pas ?

Jessica Cohen et Alexander Zalaski lui jetèrent un drôle de regard. Sa conviction semblait plus profonde quand il les avait rencontrés la première fois. Puis, le sens de la dernière clause du contrat se fit soudain clair dans leur esprit. Ils avaient d'abord pensé qu'il s'agissait d'une sorte de garantie, d'assurance de son professionnalisme. Plus maintenant. Cette clause spécifiait qu'il rembourserait la totalité de ses frais et honoraires si la confession ne mentionnait pas Elizabeth Levine comme véritable auteur. Il leur rembourserait tout... et garderait pour lui la confession et les cahiers. Ces documents valaient cent fois, mille fois tout montant d'argent qu'ils auraient payé pour ses services. En se liant par

215

contrat avec eux, il n'avait rien à perdre et finançait sa recherche des exemplaires, que celle-ci soit fructueuse ou non.

Ni Jessica Cohen ni Alexander Zalaski ne pouvaient lui en tenir rigueur. D'abord, ils comprenaient vaguement que ce trait de caractère, propre au dissimulateur, n'avait chez lui rien de foncier, rien de noir. Il relevait plutôt de l'habitude d'exercer ce métier si particulier et dont les ficelles consistaient à feindre, induire en erreur, laisser suggérer, voir venir, etc.

Puis et surtout, trop heureux de la tournure des événements, ils avaient le sentiment de devoir lui être avant tout reconnaissants.

28

Isabella Carlisle Berenson, originaire de Manchester, devenue londonienne après avoir épousé le magnat de la finance lord Berenson en 1880, défraya par ses extravagances, sa vie durant, la chronique mondaine. Celle qu'on voyait souvent boire du whisky et fumer de petits cigares en compagnie d'artistes voyageait de par le monde et accumulait les œuvres d'art. Au début du siècle, avec la collaboration d'un ami, architecte et critique d'art, elle fonda un musée portant son nom et y exposa ses collections. Une salle fut réservée à sa seconde passion : Jeanne d'Arc. Elle vouait un culte à la pucelle d'Orléans et avait amassé à peu près tout ce qui avait été écrit sur elle depuis le milieu du XVe siècle.

Le Isabella Carlisle Berenson Museum était ouvert seulement durant la belle saison, c'est-à-dire de mai à septembre, du mardi au jeudi, de midi à dix-sept heures. En ce mercredi 3 juillet, sous un ciel bas et gris, Jessica Cohen, Alexander Zalaski et Patrick Rohmer étaient postés sur le trottoir face au musée. En retrait de la dizaine de visiteurs regroupés devant l'entrée principale, ils attendaient avec impatience l'ouverture. À midi juste, comme au loin la cloche dans la tour du parlement de Londres sonnait l'heure, l'une des hautes et larges portes à battant de l'institution s'ébranla. Jessica Cohen leva instinctivement les yeux vers son aide et celui-ci se mit à pousser son fauteuil roulant, le détective marchant à ses côtés.

Dans le hall d'entrée, un plan du musée affiché au mur les informa que la salle Joan of Arc se trouvait au second étage, du côté ouest ; il indiquait aussi où était situé l'ascenseur. Un gardien en veston et cravate s'empressa de l'appeler et s'offrit à le manœuvrer pour eux, car il était très ancien et servait surtout, expliqua-t-il, de monte-charge. Le trio fut soulagé de quitter ce liftier d'occasion car, durant le court mais lent trajet ascensionnel, ce dernier s'était transformé en guide et avait commencé à leur parler avec chaleur des objets d'art exposés dans la salle des primitifs italiens, sa préférée, disait-il.

À leur surprise, celle qui les intéressait, consacrée à la pucelle, rassemblait beaucoup plus de documents qu'ils avaient imaginé — plusieurs milliers au lieu de quelques centaines. Et le nombre de bibliothèques les contenant, toutes dotées de portes vitrées, s'élevait à une vingtaine.

— Le manuel, dit Jessica Cohen à l'adresse de Zalaski.

Le Hongrois défit les cordons du large sac de cuir attaché au dos du fauteuil roulant et en sortit le livre qu'il s'était procuré le matin même. Il s'agissait d'un ouvrage sur les meubles anglais d'époque. Il l'ouvrit à l'endroit où se trouvait le signet et consulta l'illustration d'une étagère fabriquée au cours du premier tiers du XIXe siècle, durant la régence de George IV, et indiquée pour cette raison « de style Régence ». Il releva la tête et promena un regard circulaire autour de lui ; puis, il commença à s'avancer vers une bibliothèque de facture très simple et élégante. Il consulta encore brièvement son livre, puis déclara, en l'indiquant des yeux aux deux autres :

— C'est celle-ci.

Jessica Cohen et Patrick Rohmer s'approchèrent du meuble, lequel était plutôt imposant : deux bons mètres de haut, sur un et demi de large. Chacune de la douzaine de tablettes supportait trente à quarante documents : beaucoup de livres, mais aussi des manuscrits, tous contenus dans des cartons. Les deux hommes se partagèrent la tâche de repérer celui signalé par le post-scriptum de la confession signée « Charles Lutwidge Feinstein ». Zalaski vérifia les rayonnages de la partie du haut ; le Français, ceux du bas.

Au bout d'une minute ou deux, le détective colla le bout de son index sur la vitre, en face d'un casier attaché par un large ruban rouge.

— Le voici, annonça-t-il à sa cliente.

Au dos du carton, on pouvait lire : « *The Maid of Orléans — Truthfulness and Falsehood* ».

— C'est lui, confirma Zalaski.

— Évidemment, ces portes sont verrouillées, observa le détective en tirant en vain sur le bouton d'un des panneaux vitrés, qui ne bougea pas.

Il jeta un coup d'œil expert sur le mécanisme du verrou.

— Il pourrait être ouvert sans peine, fit-il remarquer. Un simple crochet de serrurier ferait l'affaire. Je présume que Feinstein a dû s'y prendre ainsi.

Cela ne demandait pas même de l'habileté, selon le Français. N'importe qui pouvait le faire. Et le plus beau, c'était qu'on pouvait tout aussi facilement verrouiller après coup, tant ce système de fermeture était primaire.

Le détective consulta sa montre-bracelet.

— Il est midi cinq, dit-il. Nous sommes ici depuis deux ou trois minutes, sans qu'on ait vu encore entrer dans la salle le premier visiteur. Il en est toujours ainsi, il faut croire.

— Combien de temps, monsieur Rohmer ? s'enquit Alexander Zalaski.

— Crocheter la serrure est une question de secondes. Dix, au plus. S'emparer du carton, défaire son ruban, l'ouvrir, retirer les cahiers... les cacher dans le sac, rattacher le casier et le replacer sur la tablette, refermer la porte... Une minute, maximum.

— Madame Cohen ? fit l'aide. Nous pourrions revenir demain avec un passe-partout ?

La dame, qui les avait écoutés en silence en affichant un air désapprobateur, se mit à faire non de la tête.

— On ne s'empare pas du carton ou de ce qu'il pourrait contenir qui ne serait pas les cahiers d'Elizabeth, mais je suis quand même d'avis de rencontrer le directeur.

Patrick Rohmer soupira.

— Soyez certaine, madame, objecta-t-il, qu'il ne nous les remettra pas avant de s'être assuré si, à tout hasard, son institution ne détiendrait pas des droits sur eux. Si le manuscrit original d'une œuvre célèbre risque de faire saliver quelqu'un, c'est bien un conservateur de musée.

Là-dessus, le détective reprit l'argumentation qu'il lui avait présentée une heure plus tôt à sa résidence, argumentation accueillie par d'imperceptibles mouvements de tête d'assentiment de la part d'Alexander Zalaski.

Patrick Rohmer estimait que cette vérification du directeur auprès de ses conseillers juridiques allait occasionner un délai de plusieurs semaines, voire un procès, si on avait affaire à un individu ayant, comme il disait, « les yeux plus grands que le ventre ». Les avocats de madame Cohen allaient alors la décourager d'engager une procédure contre l'héritier actuel de Charles Lutwidge Feinstein avant qu'elle ne soit en possession du manuscrit de sa tante ou que son droit de propriété soit dûment reconnu par le tribunal. S'ils prenaient l'initiative d'accaparer les cahiers, initiative qu'ils reconnaîtraient publiquement, une réclamation contre le légataire de Lewis Nunn pouvait être entreprise sur-le-champ.

— Il sera toujours ensuite loisible à ce musée, madame, de faire valoir ses prétentions, exception faite qu'elles ne se feront pas à l'encontre de l'obligation de réparer sans délai la véritable injustice.

— Je comprends votre empressement, monsieur Rohmer, rétorqua Jessica Cohen. Après tout, dix pour cent des dommages-intérêts vous reviennent, mais je ne peux me résoudre à cette façon de faire. Mettez ça au compte, comme vous avez dit, de mon inexpérience de certains milieux. Alexander, ordonna-t-elle, demandez à voir le conservateur.

Un moment plus tard, Herbert Bristrow, conservateur du Isabella Carlisle Berenson Museum, constatant que cette dame et ces deux messieurs, les présentations faites, refusaient de s'entretenir avec lui dans le corridor, se résigna à les faire entrer dans son bureau.

— Il doit s'agir d'une affaire des plus importantes, remarquat-il sur un ton un peu sec, sitôt la porte refermée.

— Alexander, fit Jessica Cohen, montrez-lui la confession.

Puis, tournant la tête vers leur hôte, elle ajouta :

— Vous allez tout comprendre, monsieur Bristrow.

Du même grand sac que tout à l'heure, le Hongrois sortit cette fois l'écrit trouvé dans l'exemplaire de *Young Alice* et le tendit à Herbert Bristrow.

— Qu'est-ce que c'est ? s'enquit celui-ci, tout en marchant vers son bureau pour y prendre ses verres.

— Un document autographe de Charles Feinstein.

— Vous voulez dire... Lewis Nunn ?

— Oui. Voyez au bas la signature.

Herbert Bristrow chaussa ses lunettes.

— Eh bien, eh bien, fit-il, les yeux sur l'inscription « Charles Lutwidge Feinstein ».

Il eut un brusque haussement de sourcils et Rohmer, qui le surveillait du coin de l'œil, comprit du coup qu'il venait de prendre connaissance du post-scriptum, lequel suivait immédiatement la signature.

— Qu'est-ce que ça veut dire : « Les cahiers se trouvent au Isabella Carlisle Berenson Museum, dans la salle Joan of Arc » ? reprit-il, médusé.

Il releva les yeux du document, dévisagea le trio :

— De quels cahiers s'agit-il ?

— Lisez depuis le début, monsieur Bristrow. Vous allez tout comprendre, lui répondit Jessica Cohen.

D'un geste, l'homme invita Patrick Rohmer et Alexander Zalaski à s'asseoir et, une fois qu'il eut fait de même derrière son bureau, il lut la confession d'une traite.

— C'est à peine croyable, fit-il, à la fin, en retirant ses verres. Comment êtes-vous entré en possession d'un tel document ? J'avais cru comprendre que l'ensemble de ses archives avait été détruit !

Ils lui en donnèrent l'explication, et ce faisant lui firent part de la conférence du professeur Connelly. Herbert Bristrow s'en montra fort curieux et les bombarda de questions.

— Et cette Elizabeth Levine était votre tante, madame? demanda-t-il.

— Oui, répondit Jessica Cohen, un trémolo dans la voix.

— Le manuscrit, son manuscrit, se trouve ici? Dans la salle Joan of Arc? À l'intérieur du carton...

Se servant de ses lunettes comme il l'aurait fait d'une loupe, il reporta ses yeux sur le post-scriptum.

— ... « *Truthfulness and Falsehood* »?

— Oui.

Herbert Bristrow ouvrit un tiroir de son bureau, prit un trousseau de clés et se leva d'un bond:

— Lequel d'entre vous, messieurs, veut bien m'accompagner?

Alexander Zalaski se déclara sur-le-champ volontaire et les deux hommes sortirent du bureau.

Seule avec le détective, Jessica Cohen eut cette remarque:

— La poursuite contre le légataire de monsieur Feinstein, monsieur Rohmer, ne connaîtra aucun délai.

— Comment pouvez-vous en être si certaine, madame?

— Je vais m'engager à offrir le manuscrit à ce musée, une fois tout réglé.

Patrick Rohmer resta interloqué.

— Cela devrait tuer dans l'œuf toute visée que pourrait entretenir monsieur Bristrow, si visée il y a, euh?

— Ce manuscrit, madame, vaut une fortune; des dizaines, voire une centaine de milliers de livres sterling.

— Peu m'importe, monsieur Rohmer. Je veux que tous et chacun aient l'occasion de voir ces cahiers. « Voilà, diront-ils, voilà le vrai manuscrit de *Young Alice*. Et c'est une toute jeune fille qui l'a écrit: Elizabeth Levine. »

Quelques minutes plus tard, Alexander Zalaski et le conservateur du musée portant le carton sous son bras étaient de retour. Ce dernier déposa le casier sur le dessus de son bureau, s'assit et s'appliqua à défaire le nœud du ruban. N'y réussissant pas — du moins, pas assez vite à son goût —, il s'empara de ciseaux et coupa tout bonnement l'étroite bande de tissu rouge.

Sous le regard de ses invités qui retenaient leur souffle, il ouvrit le carton. Apparurent alors, trônant sur le dessus d'un tas de paperasse et se distinguant de celle-ci autant par leurs formes que par leurs dimensions, trois cahiers d'écolier aux coins légèrement cornés.

Herbert Bristrow remit ses verres.

— « *Young Alice* », lut-il d'une voix rendue rauque par l'incrédulité. « Première partie, Elizabeth Levine ».

Il leva les yeux.

— C'est incroyable, madame.

— Montrez, dit celle-ci.

L'homme tendit ce premier cahier et, alors que Patrick Rohmer jetait un œil par-dessus son épaule, Jessica Cohen se mit à le feuilleter d'un air admiratif et ému.

— Montrez, dit à son tour Alexander Zalaski, qui, resté debout, s'était approché du bureau.

Le conservateur lui tendit le second cahier. Le Hongrois en tourna la page couverture et put lire, en haut et au centre de cette page lignée, d'une écriture ronde et un peu grosse : « Septième chapitre. Un thé qui tourne mal ». Le premier paragraphe, presque tout en dialogue, commençait trois lignes plus bas. Zalaski le parcourut des yeux. Un personnage se plaignait de la présence d'un autre à sa table et exigeait qu'il montre son carton d'invitation.

— « Londres, 18 février 1895 », lut à haute voix Herbert Bristrow, les yeux sur la date qui suivait le mot *Fin* de la dernière page manuscrite du troisième cahier.

Jessica Cohen avait encore tout frais à la mémoire l'historique que le professeur Connelly avait jugé bon de donner au début de sa communication. Elle s'empressa de souligner :

— *Young Alice* fut publié pour la toute première fois au printemps de 1895, à la fin de mai, soit trois mois plus tard.

— Vous avez une idée, madame, de la valeur de ce manuscrit ? demanda le conservateur du musée, les yeux brillants de convoitise.

— Quelqu'un m'en a déjà donné une certaine évaluation, oui. Et à ce propos, monsieur Bristrow...

Un instant plus tard, l'homme se levait pour serrer chaleureusement et longuement la main de Jessica Cohen, tout en se confondant en remerciements.

— Ces cahiers seront, déclara-t-il avec emphase, une fois rassis, la plus belle pièce de notre collection de documents manuscrits, pourtant déjà fort riche. Les lettres de Byron et les hiéroglyphes sur papyrus de la Grèce antique devront céder la vedette. Je suppose, madame, que vous allez présenter cette confession à l'éditeur des archives de Charles Feinstein, ce monsieur Higgins, pour qu'il l'authentifie ? Comme il est celui, m'avez-vous dit, qui a authentifié les lettres à cet imprimeur ?

— Je vais d'abord la présenter, monsieur Bristrow, répondit Jessica Cohen, au professeur Connelly. Je lui dois bien ça. Il sera surpris d'apprendre qu'il s'agit d'Elizabeth, mais transporté de joie, par contre, à l'idée qu'il avait raison. Ensuite, je la présenterai à celui auquel le professeur eut lui-même recours.

— En complémentarité à son opinion d'expert, enchaîna Herbert Bristrow, nous pourrions nous charger, avec votre accord et celui de monsieur Higgins, de présenter la preuve matérielle et graphique. Une institution comme la nôtre fait appel aux spécialistes les plus réputés quand il est question d'authentification. Qu'en pensez-vous ?

— Fort bien.

Herbert Bristrow se leva.

— Je vous raccompagne jusqu'au hall d'entrée, madame et messieurs. Cela me fournira l'occasion de vous transmettre la réponse à une petite énigme.

— Laquelle ?

— Comment Feinstein a-t-il pu glisser les cahiers dans un de ces cartons qu'on pouvait voir mais non toucher, la bibliothèque dans laquelle il était rangé étant verrouillée ?

Ses invités échangèrent un regard par en dessous, aucun d'eux n'osant suggérer qu'il aurait pu le faire, comme le pensait Patrick Rohmer, à l'aide d'un crochet de serrurier.

Dans le hall d'entrée, une série de photographies accompagnées de courts textes permettait aux visiteurs de faire un peu connaissance avec la fondatrice du musée. Herbert Bristrow arracha du mur la légende qui se trouvait juste en dessous d'une de ces photos.

— Le reconnaissez-vous ? demanda-t-il.

La photo montrait Isabella Carlisle Berenson en compagnie d'un jeune homme au regard intelligent et à l'expression quelque peu hautaine et défiante.

— Oui, répondit Jessica Cohen, sur un ton d'aigreur.

— Il faut supposer qu'elle lui aurait donné un accès privilégié, dit le conservateur.

Là-dessus, il décrocha la photographie, appela l'un des gardiens.

— Rangez ceci dans l'entrepôt, Andrew, ordonna-t-il. Quant à cette légende, mettez-la à la poubelle.

La légende en question se lisait : « Madame Berenson en compagnie de l'auteur de *Young Alice*, Lewis Nunn ».

29

William Muller n'était pas, de nature, un homme nerveux. Il avait plutôt un comportement stable, réfléchissait avant de parler et prenait avec un grain de sel les remarques, les commentaires auxquels d'autres auraient vivement réagi.

Toutefois, en certaines occasions, quoique seulement en présence de familiers, son habituelle équanimité faisait place à de la fébrilité. Aujourd'hui était l'une de ces occasions. Il arpentait de long en large le living-room, tout en gesticulant et en parlant avec animation à sa femme.

Le fait que Charles Feinstein n'avait pas mentionné dans son journal, comme il le faisait toujours, l'envoi de lettres à Florence Tennyson révélait, selon lui, qu'il ne les avait très vraisemblablement jamais écrites. L'avocat conjecturait qu'elles avaient été rédigées non aux dates qu'elles indiquaient, mais après la mort de Feinstein et à la suite sans doute de la campagne de Julius Harrisson pour récupérer toutes les lettres de son demi-frère encore en circulation. L'absence de mention aux registres aurait éveillé un soupçon chez le père de sir Paul au moment d'en faire l'acquisition, reconnaissait-il. Mais d'une part, la falsification — si falsification il y avait — était de premier ordre. Puis d'autre part, monsieur Harrisson père aurait pu d'autant en faire l'achat que ces lettres lui mettaient du baume au cœur : enfin, une relation affectueuse qui n'engageait pas une fillette, mais une femme d'âge mûr.

L'avocat marqua un temps, puis ajouta :

— Je vais demander à Richard qu'il les analyse. Pour m'assurer qu'il s'agit bien de faux.

Il avait eu beau les comparer avec d'autres — celles-là indiquées aux entrées du journal —, mais le non-expert qu'il était n'avait pu déceler la contrefaçon.

— Pour ce faire, observa Helena Muller, il devra les comparer avec des spécimens d'écriture de Feinstein tirés des archives en ta possession?

— Il n'y a pas d'autre façon.

— Tu entends révéler à Richard que tu ne les as pas détruites?

— Non. Richard ne doit pas être impliqué. Il est possible de faire en sorte qu'il ne le soit pas.

Pour cela, William Muller n'allait pas lui remettre les originaux, mais des photographies, lesquelles ne présenteraient pas le contenu des lettres dans leur intégralité, mais le seul corps des textes, dont il allait prendre soin de masquer, là où il y aurait lieu, tous mots ou groupes de mots compromettants. Les quelque trois cents mots qu'il lui fournirait ne révéleraient ni lieux, ni dates, ni noms propres, ni signatures. Les pièces ayant pour destinataire Florence Tennyson seraient identifiées « A » et les pièces dont il ne doutait pas qu'elles étaient de la main de Charles Feinstein seraient identifiées « B ».

— De ces négatifs, Richard pourra ensuite tirer lui-même des épreuves photographiques sur papier. Des épreuves grandeur nature lui seront acceptables car elles donnent des indications justes sur les calibres, les espacements, etc.

— Pour quelle raison te donner tant de mal, William?

Il eut un rictus coupable, puis avoua dans un soupir :

— Me tirer d'affaire, Helena. Si cela est possible...

S'il y avait discordance entre « A » et « B », il allait alors demander à Richard d'éplucher les dossiers des faussaires en écriture fichés par Scotland Yard. Ceux actifs en 1927-1928 et qui pratiquaient l'imitation libre. Ils avaient tous leur griffe — ces infimes particularités qu'ils ne pouvaient réussir à dissimuler — et il se pouvait que la personne ayant forgé les lettres à Florence Tennyson ait déjà été arrêtée au cours de sa carrière. Dans un dossier, on retrouvait une identité mais aussi, et c'était le plus important, des spécimens d'écriture normale. Ils faisaient partie des pièces à conviction dont les policiers ne manquaient jamais de s'emparer au domicile du contrefacteur appréhendé.

Helena Muller eut une réaction d'étonnement.

— Es-tu en train de suggérer, William, qu'il pourrait s'agir du même faussaire ?

William Muller se mit à marcher un peu plus vite en travers de la pièce.

— Si ces missives à Florence Tennyson sont fausses, fit-il, il se peut en effet que leur auteur ne soit nul autre que le faussaire auquel Robert Levine, comme le croit Donald Blair, aurait fait appel. Pour imiter si parfaitement la graphie de Feinstein, il fallait qu'il dispose de spécimens de son écriture. Et qui dit qu'il ne les aurait pas obtenus du médecin ?

Richard Lockwell, qui avait beaucoup étudié leur psychologie comportementale, lui avait fait savoir que ces grands contrefacteurs se considéraient comme des artistes. Ils tiraient, selon l'expert, autant de satisfaction de l'argent que leur procurait leur talent que du fait qu'ils réussissaient à tromper. Mais pour des raisons connues, l'artiste en question n'avait pu voir son œuvre exhibée. Apprenant que l'héritier de Feinstein, Julius Harrisson, rachetait les lettres de l'écrivain, il aurait pu vouloir tirer profit de sa compétence à imiter son écriture. Cette fois à partir d'une destinataire imaginaire, cette Florence Tennyson, d'autant plus mystérieuse pour les universitaires qu'elle n'avait jamais sans doute existé.

— Le cas échéant, Richard pourra confronter cette confession avec les spécimens d'écriture normaux de l'auteur des lettres à Florence Tennyson, conclut l'avocat.

Là-dessus, il cessa de déambuler et s'assit enfin. Toute cette réflexion visant à présenter des spécimens d'écriture du faussaire plutôt que ceux de Feinstein pour éventer cette hypothétique supercherie l'avait exténué. Il en était aussi un peu honteux.

Sa femme hocha affectueusement la tête comme pour lui dire : « Tu n'as pas à avoir honte », puis s'enquit :

— Comment expliquer avoir découvert qu'il s'agirait de ce faussaire ?

— Il faudra espérer que son lien avec le docteur Levine se trouve dans son dossier criminel, soupira-t-il.

Le professeur Connelly avait parlé de Robert Levine dans sa conférence. À la suite de cette information, on pourrait prétendre qu'une recherche à son sujet avait alors été entreprise, puis le lien établi. Il ne s'agirait pas d'un grand mensonge et son ami Richard accepterait de ne pas le trahir.

— Qu'en penses-tu ? demanda-t-il à la fin, conscient soudain que tout ceci était surtout un échafaudage de suppositions et d'espérances.

— Je pense que tu ferais mieux de t'assurer d'abord que ces lettres à cette dame sont des contrefaçons.

Le professeur Connelly lut une ixième fois le premier paragraphe, lequel semblait de la vraie musique à ses oreilles :

« Moi, Charles Lutwidge Feinstein, sain de corps et d'esprit, fais l'aveu suivant : je ne suis pas le véritable auteur de *Young Alice*, n'ayant que partiellement contribué à la trame de l'histoire. »

Puis, cette phrase du paragraphe suivant, qui, sans qu'il se l'avoue, apparaissait comme la seule petite fausse note :

« Ce que j'ai soumis à l'éditeur Dwight W. Haythorne fut le manuscrit d'Elizabeth, la fille aînée du docteur Robert Levine, décédée quelques semaines plus tôt. »

Le professeur releva les yeux.

— Je vous dois toutes mes excuses, madame Cohen, monsieur Zalaski, fit-il. J'avais presque exclu que votre tante l'eût écrit. Comment maintenant en douter ?

D'un geste, il indiquait la confession devant lui, mais aussi les trois cahiers d'écolier, rédigés d'une écriture relativement grossière, placés tout à côté. Un peu plus tôt, il en avait confronté certains passages avec ceux de la version publiée.

Là-dessus, il reporta son attention sur la page de garde de l'exemplaire III et eut un geste de réprobation envers lui-même.

— Il ne me serait jamais venu à l'esprit qu'elle ait pu se trouver dans un autre exemplaire, observa-t-il. J'avais imaginé une tout autre explication à sa disparition.

— Quelle était-elle ? demanda Herbert Bristrow, qui était assis à un bout de la table, à droite de Patrick Rohmer.

Le conservateur du musée, qui veillait à ses intérêts, avait tenu à assister à cette rencontre avec l'universitaire, laquelle se déroulait dans une salle de réunion de l'université de Birmingham.

— Oh ! ne comptez pas sur moi pour la révéler, dit l'autre. Je n'oserais la répéter. Par contre, je peux vous confier que le flair dont vous avez fait preuve, monsieur Rohmer, m'enlève une formidable épine du pied. Voilà : à la suite de ma conférence, le légataire testamentaire de Charles Feinstein, sir Paul Harrisson, m'a intenté un procès en diffamation.

— Ce n'est pas sérieux ? s'exclama Jessica Cohen, indignée.

— Oh si, madame. Et s'il n'a pas été jusqu'à présent rendu public, c'est uniquement parce que la date de l'audience n'a pas été fixée ; elle n'apparaît pas encore au rôle. J'allais probablement perdre ce procès, à la vérité. Ma seule défense reposait sur la démonstration de ma bonne foi. Elle s'avérait difficile à faire. J'ai pris certaines licences, certaines libertés professionnelles en prononçant ma communication, dans le but de provoquer des choses, de trancher le nœud gordien, si on peut dire. Aujourd'hui, avec la découverte de cette confession, je disposerais d'une défense autrement plus redoutable.

Là-dessus, le chercheur leur fit part du droit à la preuve, dont lui avait parlé le doyen de la faculté de droit de son institution, Morton Irwin.

— Mon avocat n'aura jamais à la présenter. L'accusation sera retirée dès l'annonce de la découverte de cette confession.

— À cet égard, dit Herbert Bristrow, j'ai proposé à madame Cohen que cette annonce se déroule dans la cour intérieure du ICB Museum. Nous comptons la tenir aussitôt les démarches d'authentification complétées, peut-être dès mardi de la semaine prochaine.

Il eut un signe des yeux vers Jessica Cohen, ce qui incita celle-ci à dire :

— Je suppose, professeur, que l'éditeur de ces archives accepterait de signer un document d'authentification semblable à celui qu'il vous a remis au regard des lettres à l'imprimeur ?

— Monsieur Higgins sera trop heureux de le faire, répondit l'universitaire, un petit sourire en coin.

George Connelly avait toujours soupçonné le jeune professeur auxiliaire d'avoir fait l'achat des lettres à des fins spéculatives. Un tel dénouement ne pouvait que le combler.

Sur ce, il suggéra que sa secrétaire se charge de dresser le document pour la confession à même le modèle pour les lettres ; il s'offrit en outre à communiquer avec Higgins pour faciliter leur rencontre avec lui.

— Par ailleurs, professeur, dit encore madame Cohen, nous souhaiterions que vous soyez celui qui, à cette conférence de presse, annonce la découverte de la confession de monsieur Feinstein.

— Vous pourriez d'abord, professeur, ajouta Herbert Bristrow, reprendre les points essentiels de la communication que vous avez prononcée à ce colloque. Cela permettrait d'éclairer le contexte et de justifier qu'un tel aveu de fraude était vraisemblable et non impossible ou farfelu.

Le petit homme resta un instant sans réagir, manifestement touché et surpris, puis eut un éclat de rire, tout en secouant la tête d'incrédulité.

— Quoi ? s'enquit Jessica Cohen.

— Excusez-moi, fit-il en étouffant son hilarité, mais la vie a de ces revirements imprévisibles ! Encore hier, j'étais un chercheur accusé de diffamation et aujourd'hui...

Il ne termina pas sa phrase et dit plutôt, de nouveau serein :

— J'accepte avec grand plaisir de faire cette annonce, madame. Et j'en profiterai pour saluer et remercier monsieur Peter Thornhill, le directeur du collège Duffin, qui est à l'origine de cette extraordinaire découverte.

George Connelly ne s'était pas trompé : Mark Higgins signa avec un plaisir non dissimulé l'attestation préparée par sa secrétaire dans laquelle il était stipulé que l'éditeur des archives de Charles Feinstein avait examiné la confession et la déclarait authentique. De plus, le jeune rouquin accepta volontiers de soumettre à une expertise complémentaire les originaux des lettres en sa possession.

Cette expertise, qui porta aussi sur les cahiers d'écolier et la confession, eut lieu le samedi 29 juin. Elle se déroula dans les laboratoires d'une firme spécialisée en authentification de documents écrits, firme à laquelle le conservateur du ICB Museum faisait toujours appel à l'occasion d'acquisitions d'autographes.

Par nature, Thomas Davidson, l'expert, était prudent et réservé ; par déformation professionnelle, méfiant, sceptique et soupçonneux. Comme à son habitude, il fit abstraction de toutes les preuves d'authentification dites extérieures. La critique historique d'un professeur d'université, l'opinion de l'éditeur des archives du personnage au centre de cette affaire, le témoignage d'un ex-employé d'imprimerie, etc., il ne les prit pas en compte. Ce qui l'intéressait, c'étaient les seules preuves tirées de l'analyse technique des documents.

Il commença celle-ci en se penchant d'abord sur les supports. Un examen microscopique de la pâte des papiers ainsi qu'une analyse de leurs fibres et de leurs charges lui permirent d'estimer une acidification vraisemblable. C'est ainsi qu'il allait la qualifier dans son rapport et tout ce qu'il voulait dire par là était qu'on pouvait écarter la possibilité que des falsificateurs auraient eu la maladresse d'employer un papier dont le degré de transformation de l'acide n'aurait pas correspondu aux époques concernées.

Il soumit ensuite à un réactif gazeux un assez grand nombre de pages des cahiers d'écolier en vue d'y déceler des empreintes fraîches ou relativement récentes qui ne seraient pas celles dont le conservateur du musée lui avait remis des spécimens. Toutes celles qu'il releva appartenaient soit à madame Cohen, à son aide, au professeur Connelly ou à Bristrow lui-même. La graisse sudorale, dans certaines conditions, peut marquer un assez long moment le papier, mais non des dizaines d'années. Thomas Davidson en conclut que si ces reliures avaient été récemment contrefaites, le faussaire avait dû utiliser, comme lui-même en ce moment, des gants de chirurgien.

Par acquit de conscience, il exposa aussi les lettres et l'aveu d'usurpation de droits d'auteur à l'iode naissant, mais comme il le présumait, ces quatre feuilles avaient été par trop manipulées pour contenir ne serait-ce qu'une seule empreinte utilisable.

Après cela, le spécialiste passa à l'étude des encres qui avaient servi à écrire les documents. Il détermina rapidement que celles-ci étaient toutes à base de gallotanate de fer. Il exposa un échantillon de chacune à une solution comprenant, en proportions infimes, du nitrate de plomb, de l'acide perchlorique et du permanganate de potassium. Après un lavage à l'eau distillée, il put ainsi révéler les sulfates contenus dans l'encre. Leur analyse lui permit de déterminer que les textes avaient été écrits il y avait au moins une dizaine d'années. (En matière d'authentification, il ne s'agissait pas là d'une information inutile, les documents anciens inauthentiques étant le plus souvent forgés à quelques mois, voire à quelques semaines de leur apparition sur le marché.)

Ces différents examens avaient occupé une bonne partie de la matinée et, quoiqu'il n'était pas encore tout à fait l'heure du repas, Thomas Davidson décida de s'arrêter pour manger. Il souhaitait se reposer un peu avant d'entreprendre l'analyse des écritures, la plus exigeante pour ses yeux.

Au bout d'une demi-heure, il était prêt à reprendre le collier.

Pour confronter le graphisme des missives à monsieur Seltz à celui de la confession, il utilisa cette fois un instrument d'optique d'un autre genre, instrument permettant l'examen simultané de deux objets ne pouvant tenir ensemble dans le champ d'un microscope ordinaire. Les deux objectifs de l'appareil, qui renvoient deux images juxtaposées dans l'oculaire, sont montés sur des branches extensibles pouvant se mouvoir de gauche à droite et de haut en bas sur une dizaine de centimètres. Dans le milieu criminalistique où il est le plus souvent utilisé, ce microscope est appelé le « loucheur ». Le non-parallélisme des axes visuels des objectifs évoque en effet celui des yeux de la personne atteinte de strabisme.

Sous la lentille de gauche, Thomas Davidson plaça la confession et sous la lentille de droite, l'une après l'autre, les missives à l'imprimeur. Dès lors, il s'appliqua avec patience et minutie à comparer la forme des lettres ou groupes de lettres qu'il avait identifiés de part et d'autre. Ainsi, pour la lettre *a,* laquelle se compose dans le jargon des experts d'un cercle et d'un jambage, il nota de nombreuses similitudes. Le cercle, dans les deux images, n'avait pas de trait d'attaque, était fermé, enroulé, aplati latéralement et présentait une déformation elliptique ; le jambage, lui, avait une position écartée, une hauteur nettement dépassante et était oblique par rapport à la ligne de base.

Le spécialiste rapprocha des éléments de même ordre pour des lettres différentes. Le cercle du *a* fut ainsi comparé à celui du *g,* du *o* et du *q.* Les similitudes demeuraient constantes. Il nota aussi que le changement de forme des doublées par rapport aux lettres simples se reproduisait autant dans la confession que dans les lettres à monsieur Seltz. Autres invariabilités : la ligature des accents avec les lettres qu'ils affectaient ; la levée de plume après un *t* barré ; la tendance ornementale des traits terminaux ; la soudure des lettres pénultièmes aux finales.

Il arrêta là son analyse, car il était arrivé à la conclusion suivante : la personne qui avait écrit la confession était sans l'ombre d'un doute la même qui avait écrit les lettres. Elle n'était pas celle cependant qui avait rédigé les cahiers d'écolier. « Cela aurait été du reste fort maladroit de la part d'un faussaire », se dit en lui-même le toujours suspicieux Thomas Davidson. Leur écriture un peu grosse, propre à un scripteur n'ayant pas encore atteint l'âge de la formation définitive, pouvait quant à elle être illusoire. Le même type de graphisme aurait pu être reproduit par un complice adulte ayant tenu la plume dans une main gantée de cuir.

Faute de disposer de spécimens de comparaison d'Elizabeth Levine, il ne put s'assurer qu'ils étaient de sa main. Cela était fâcheux car, en prouvant que c'était le cas, on écarterait à proprement parler la possibilité qu'ils puissent avoir été rédigés à partir de la version publiée de *Young Alice*, la jeune fille étant décédée avant la parution du conte. Mais la fouille minutieuse qu'avait menée Alexander Zalaski pour retrouver des écrits de la tante de sa patronne, fouille qui faisait suite à une demande du professeur Connelly en vue d'en faire une analyse de style, avait été vaine.

30

La salle Joan of Arc du Isabella Carlisle Berenson Museum était un endroit inhabituel pour tenir une conférence de presse. La pièce était plutôt exiguë et encombrée en son centre de présentoirs sur pied mais, compte tenu des circonstances, Herbert Bristrow la trouvait tout à fait appropriée. Il ordonna donc que les meubles gênants soient temporairement retirés, ce qui permit l'installation d'une trentaine de chaises pliantes face à une longue table.

L'événement débuta vers les onze heures. Dans son allocution de bienvenue, le conservateur du musée en profita pour promouvoir la fréquentation de son institution en annonçant que le manuscrit de *Young Alice* retrouvé dans cette salle (il montra à son auditoire la bibliothèque qui l'avait contenu) allait être exposé, dans un avenir pas si éloigné, sur les lieux mêmes.

— Permettez que je vous présente sans plus tarder, enchaînat-il, celle ayant généreusement offert d'en faire don au musée : madame Jessica Cohen.

Toutes les personnes rattachées de quelque manière au musée qui assistaient à la conférence — membres du personnel et du conseil d'administration, membres donateurs, etc. — l'applaudirent. La fille d'Alice Levine, qui avait pris place dans la première rangée, ne chercha pas à se lever mais hocha la tête aimablement, tout en serrant un peu plus fort la main de son aide, Alexander Zalaski.

Sur ce, le conservateur passa la parole au chercheur de l'université de Birmingham assis à ses côtés derrière la table. George Connelly tint d'abord à présenter et à remercier à son tour une personne dans l'assistance : monsieur Peter Thornhill. Le directeur du collège Duffin, qui était accompagné de son employé monsieur David O'Connor, se leva et salua aussi de la tête sous les applaudissements. Le concierge fut celui sans doute qui l'applaudit le plus fort. Il lui devait sa bonne fortune, se disait-il. En l'exhortant à ne pas vendre son exemplaire à Mark Higgins, son patron lui avait permis de demeurer propriétaire d'un livre qui allait devenir très prisé des collectionneurs. Ces simples traces d'écriture au dos de la page couleur, lui avait-on laissé entendre, valaient des milliers de livres sterling. Sur ce, le professeur Connelly reprit les grandes lignes de sa communication antérieure en faisant ressortir la disparition du document, de la teneur duquel on n'avait pu jusqu'alors, rappela-t-il, que présumer.

Puis, sans plus tarder, il exhiba, l'air heureux, presque triomphant, la feuille de papier qu'il avait à la main.

— Voici enfin, déclara-t-il, cette fameuse pièce à conviction retrouvée.

Là-dessus, il fit un signe à un technicien qui se tenait à l'arrière et un agrandissement du document apparut sur l'écran de projection placé à sa gauche.

— Cet aveu écrit et signé par Charles Lutwidge Feinstein, expliqua le professeur, constitue la preuve la plus formelle à l'appui de la thèse que j'avançais car, comme vous serez à même de le constater, il y reconnaît, en termes non équivoques, ne pas avoir écrit *Young Alice*. Je vous invite donc, comme j'en lirai à haute voix la teneur à partir de l'original, à suivre sur l'écran.

Cette lecture, qui apparut un peu comme la proclamation d'une déchéance, se fit dans un lourd silence. Une fois qu'elle fut terminée, des applaudissements se firent entendre, comme si on avait voulu ainsi saluer l'arrivée de celle qui était identifiée comme le véritable auteur du conte. Connelly précisa la manière dont la confession avait été retrouvée et rendit justice à celui qui avait permis de la découvrir : Patrick Rohmer. Les applaudissements reprirent, ce qui obligea le Français, assis à droite de Jessica Cohen, à se lever et à saluer à son tour.

Les cahiers d'écolier dont faisait mention le post-scriptum furent présentés et commentés, puis certaines de ses pages, reproduites sur diapositives, projetées à l'écran.

Durant la période de questions, Gerald Freeman, journaliste au *Globe* qui avait assisté à la conférence du professeur le jour du colloque (il avait d'ailleurs été le seul à en donner un bref compte rendu le lendemain), demanda comment on s'était assuré de l'authenticité de la déclaration de Charles Feinstein.

— Je me rappelle, professeur, fit-il, que vous ayez dit ne pas pouvoir trancher de votre propre autorité, qu'il se trouvait peu de gens pour le faire, sauf peut-être l'éditeur de ses archives. Celui-ci l'a-t-il examinée?

L'universitaire répondit par l'affirmative.

— L'éditeur en question, Mark Spencer Higgins, a de fait examiné le document et a officiellement confirmé qu'il était de Charles Feinstein.

Sur ce, Herbert Bristrow, reprenant la parole, communiqua à l'auditoire les résultats de l'expertise complémentaire à laquelle tous les documents avaient été soumis. Il s'abstint de citer textuellement le rapport de Thomas Davidson, dont il jugeait les tournures de phrase par trop suspicieuses. Plutôt, il présenta ces résultats comme étant des assurances de l'authenticité des documents.

Au moment où cette conférence de presse avait lieu, une analyse semblable à celle de l'expert engagé par le ICB Museum était menée sur des épreuves photographiques grandeur nature de lettres manuscrites. L'expert qui y procédait, à l'aide d'un même appareil microcomparateur que son confrère Davidson, était Richard Lockwell. Les lettres, dont William Muller avait masqué par mesure de confidentialité certains mots ou groupes de mots, étaient identifiées « A » et « B ». « A » étaient les pièces suspectes, « B », celles de comparaison. Toute la question était de savoir si l'auteur des « A » était un faussaire.

Cette question simple en apparence donna beaucoup de fil à retordre à Richard Lockwell. De nombreuses fois, il avait secoué la tête de perplexité et d'incrédulité. Pouvait-il vraiment s'agir, s'étonnait-il, de deux scripteurs ? Si tel était le cas, l'auteur des « A » était un faussaire hors pair, le meilleur qui se soit jamais retrouvé sous son loucheur. Mais, aussi doué fût-il, il ne pouvait être parfait et Richard Lockwell savait que, tôt ou tard, le cas échéant, il allait le débusquer. Le nombre et l'ampleur de pièces dont il disposait pour ce faire étaient plus que suffisants. Il lui fallait donc être patient et garder l'œil collé à l'oculaire de son instrument tant et aussi long-temps qu'il ne pourrait trancher dans un sens ou dans l'autre.

Après un long effort d'attention, il fut enfin en mesure de répondre de façon catégorique. Oui, l'auteur des « A » était un contrefacteur, le seul à sa connaissance à pouvoir imiter d'une façon tout à fait naturelle le polymorphisme de certaines lettres. Et c'était cette très rare habileté qui avait pendant un long moment confondu l'expert. Les formes variées que prenaient le *h* et le *d* dans les pièces de comparaison, suivant qu'ils étaient en initiale, en médiane ou en finale, l'auteur des « A » avait été capable de les répéter avec une adresse assez troublante. C'était le haut point de son art, mais il se trouvait d'autres caractéristiques de son savoir-faire. Ainsi, il repro-duisait de façon très vraisemblable, sans excès d'identité, les re-prises du scripteur original, ses retouches occasionnelles, sa fréquence de prises d'encre. Mieux encore, la tendance de l'auteur des « B » à faire décroître les lettres d'un mot de l'initiale à la finale et, dans d'autres cas, à interrompre cette décroissance par un ressaut vers l'avant-dernière lettre, l'auteur des « A » l'imitait dans un seul mouvement, sans hésitation aucune.

Comble d'ironie, ce fut dans le dessin de la lettre la plus simple à former, le *o,* que l'auteur des « A » révéla sa vraie nature. Invariablement, il attaquait le cercle en haut et à droite lorsque cette lettre commençait un mot ; et au centre et à gauche lorsqu'elle était dans toute autre position. En adoptant la notation horaire, à laquelle des experts comme lui avaient commodément recours, Richard Lockwell avait pu déterminer de façon plus précise encore que le point d'attaque se faisait en initiale à deux heures et à neuf heures dans les autres cas. Chez l'auteur des « B », par contre, l'attaque du cercle était toujours la même : en bas et au centre, soit à six heures. Qui plus est, le trait de l'auteur des « A » présentait un retour intérieur, tout à fait inexistant sur les pièces de comparaison. Ce retour n'était pas très prononcé, mais tout de même observable sous un objectif de 5 X en éclairage direct.

Cette différence essentielle et caractéristique était en soi suffisante à prouver la contrefaçon mais, encouragé par cette percée, l'expert ne voulut pas s'arrêter en si bon chemin et poursuivit plus avant son analyse. Le tracé des hampes des *p* dans tous les spécimens était identique mais, en les regardant de plus près encore, il nota que leurs extrémités présentaient une dissemblance. L'auteur des « B » tordait la fin du trait vertical en un crochet dirigé constamment vers la droite ; celui des « A », constamment à gauche. Par ailleurs, si le plateau des *r* se ressemblait de part et d'autre, une infime différence apparaissait dans les *r* de fin de texte de l'auteur des « A » quand son attention s'était relâchée. Une légère corne terminant l'extrémité gauche du plateau était alors perceptible, toujours absente chez l'auteur des « B ». C'était là un troisième trait de la personnalité graphique du faussaire.

Quand son client et ami William Muller se présenta, à l'heure convenue, pour obtenir les résultats de son analyse, Richard Lockwell le reçut avec ce commentaire sarcastique :

— Je devrais te demander double tarif, William. Ce cas était un véritable casse-tête. Mais, bon, j'ai ta réponse : il s'agit en effet de deux scripteurs. Les pièces suspectes sont d'une autre main. L'auteur des « A » est un faussaire extrêmement habile et aussi, obligatoirement, très bien entraîné. Il ne fait pas de doute qu'il a disposé, au moment de sa falsification, de spécimens d'écriture de l'auteur des « B » et qu'il s'est appliqué, par des exercices préalables fort longs, à reproduire son type graphique.

L'avocat se garda de trop réagir devant ce qui était une confirmation de son pressentiment. Il demanda plutôt :

— Combien de temps les dossiers criminels à Scotland Yard sont-ils conservés?

Son interlocuteur eut un haussement de sourcils devant une question si inopinée.

— Ces faux furent très vraisemblablement rédigés en 1927-1928, expliqua-t-il. Crois-tu que leur auteur a déjà pu être fiché et que son dossier n'aurait pas encore été détruit?

L'expert dévisagea un instant en silence son ami avocat, tout en se rappelant les confidences qu'il lui avait faites et qui expliquaient sa question.

— Tu supposes que la personne qui aurait forgé ces lettres aurait déjà été arrêtée au cours de sa carrière?

— Du moins, je l'espère. Comme j'espère que des spécimens de son écriture normale se trouvent dans son dossier criminel.

— Je vois...

Richard Lockwell eut cet avertissement:

— Cette opération reste très délicate, William.

Si délicate, en fait, qu'il n'avait pas pu déterminer le faussaire de l'affaire dont il lui avait parlé chez lui, en jouant au billard. Il ne voulut pas toutefois lui enlever tout espoir et ajouta, après avoir marqué un temps:

— Mais je veux bien essayer.

William Muller venait à peine de réintégrer son bureau, de retour de sa rencontre avec Richard Lockwell, que son associé Christopher Shapiro, l'air grave, apparaissait dans l'embrasure de la porte.

— J'ai demandé à votre secrétaire de me prévenir sitôt que vous seriez revenu, William. C'est au sujet de l'affaire de sir Paul. Quelque chose vient de se produire.

William Muller eut une brève et imperceptible réaction d'appréhension, puis enjoignit son associé d'entrer. Ce dernier ferma la porte derrière lui et s'approcha.

— Sir Paul a téléphoné il y a environ une heure, annonça-t-il. Il voulait vous parler de toute urgence. Comme votre secrétaire ignorait où vous étiez, il m'a demandé. Voilà... La confession de Feinstein a été retrouvée, William. Ce sont des journalistes désireux de connaître sa réaction qui l'en ont informé. Dans celle-ci, Feinstein déclare ne pas être l'auteur de *Young Alice*, affirmant que c'est Elizabeth Levine qui l'a écrit.

William Muller resta bouche bée devant cette nouvelle.

— Les cahiers d'écolier qui contiennent le manuscrit original ont été retrouvés dans une salle de musée, le Isabella Carlisle Berenson Museum, là même où s'est déroulée la conférence de presse à laquelle ces journalistes ont assisté. Sir Paul nous demande quelles sont nos options.

Christopher Shapiro tendit la feuille qu'il avait à la main.

— Il s'agit du communiqué émis par l'institution. Un coursier que j'ai dépêché au ICB Museum est venu me l'apporter tout à l'heure.

Lentement, sans un mot, William Muller indiqua à son associé de s'asseoir, tout en le faisant lui-même derrière son bureau. Christopher Shapiro fit silence, le temps que son associé prenne connaissance de l'avis qu'il venait de lui remettre, puis, quand ce dernier releva la tête, il lui dit encore :

— Nous devrons, comme de raison, William, retirer cette action en diffamation. Autrement...

William Muller le regarda droit dans les yeux et fit non de la tête.

— Nous ne la retirerons pas, Christopher.

Ce dernier marqua un temps de surprise, avant d'avertir :

— Il s'agit d'une nouvelle donne, William. Si nous allons de l'avant, ils modifieront leur défense. Ils n'essaieront plus de démontrer la bonne foi du prévenu — c'était une cause perdue — mais réclameront le droit à la preuve. Il leur sera accordé et, face à une telle confession, le juge n'aura d'autre choix que de rejeter notre demande. Cela ne fera qu'ajouter aux malheurs de sir Paul. Lesquels ne font que commencer. Des poursuites d'une extrême gravité lui pendent au bout du nez et, très sincèrement, je ne vois pas comment il pourra éviter le pire.

— Donnez-moi une demi-heure, se contenta de rétorquer William Muller.

Trente minutes furent le temps dont il eut besoin pour rédiger une réponse au communiqué du ICB Museum. Un peu sèche, celle-ci, destinée à la presse, se présentait en quatre points : 1) la confession, dont l'authenticité était contestée, allait faire l'objet d'une contre-expertise ; 2) les cahiers d'écolier n'étaient pas des pièces pertinentes, puisqu'ils pouvaient avoir été rédigés après la publication de *Young Alice* (Muller se rappelait que le professeur Connelly avait indiqué, au cours de sa conférence, qu'il n'avait pu retrouver des spécimens d'écriture d'Elizabeth Levine) ; 3) l'expert consulté et présent au moment de cette annonce, le professeur George Connelly, était poursuivi en diffamation, justement pour avoir soutenu que Charles Feinstein n'était pas l'auteur de *Young Alice* ; 4) toute cette affaire allait connaître son dénouement au cours de cette action en justice, qui poursuivait son cours.

— Quelle contre-expertise, William ? s'étonna l'avocat Shapiro un peu plus tard, quand il eut terminé de lire cette réponse.

Muller se fit laconique : un ancien faussaire était soupçonné et sa manière d'écrire, sa « griffe », pourrait être éventuellement démasquée.

— Ne m'en demandez pas plus pour l'instant, Christopher.

Pas beaucoup plus tard, ce fut au tour de sir Paul, à qui son avocat venait de téléphoner pour lui lire ces mêmes quatre points, de demander :

— Quelle contre-expertise, William ?

— Voyons-nous demain, lui répondit William Muller. Je vous dirai alors en personne de quoi il en retourne. Dix heures, à mon bureau, cela vous va ?

Après un autre silence, sir Paul donna son accord.

31

À dix heures précises, le lendemain, mercredi 3 juillet, sir Paul Harrisson, impeccablement vêtu comme toujours mais le visage un peu plus fermé que d'habitude, arrivait au cabinet de son conseiller juridique.

— Paul Harrisson, annonça-t-il à la secrétaire.

William Muller vint l'accueillir à la réception et le fit passer dans son bureau. Il lui présenta l'un des fauteuils en face de lui, mais le dignitaire préféra plutôt s'asseoir sur le sofa, situé en retrait. Sur le dessus de la table basse, les quotidiens du jour avaient été disposés de manière qu'on voie leurs logos.

— Vous en avez pris connaissance, je suppose ? demanda l'avocat en les désignant des yeux.

— Certes.

— On a réussi à leur faire employer le conditionnel, remarqua-t-il, une petite lueur de fierté dans l'œil. C'est ce qui importait pour le moment.

Sa réponse en quatre points avait tempéré l'impact de la nouvelle communiquée à l'occasion de la conférence de presse au ICB Museum.

— Hum, William, demanda sir Paul un peu sèchement, cette contre-expertise, quelle est-elle ?

William Muller grimaça. Le moment qu'il appréhendait le plus était arrivé. Comment sir Paul allait-il réagir à la divulgation qu'il n'avait pas détruit, comme il le lui avait ordonné trois ans plus tôt, les archives de son oncle ? Le dignitaire admettrait volontiers qu'il lui évitait sans doute ainsi de laisser dans cette affaire jusqu'à sa dernière chemise mais, par contre, il serait offensé d'apprendre que son avocat avait trahi sa confiance. Sir Paul allait être partagé entre deux sentiments contraires et, le connaissant, il n'allait pas rester longtemps déchiré. Soit il passerait l'éponge, soit il lui en tiendrait rigueur au point de ne plus vouloir retenir ses services.

William Muller aurait souhaité formuler un préambule à son aveu, mais il allait devoir plonger. Il marqua un temps, puis dit :

— Elle se ferait à l'aide de spécimens d'écriture de Charles Feinstein, sir Paul. Du moins en théorie.

— À l'aide de spécimens d'écriture de mon oncle, William ? Je ne comprends pas, rétorqua le dignitaire, sur le ton de quelqu'un qui semblait plutôt ne pas vouloir comprendre.

L'avocat s'éclaircit la voix, puis avoua :

— Je n'ai pas détruit les archives que vous m'aviez confiées, sir Paul.

Il y eut un lourd silence, pendant lequel le dignitaire le dévisagea intensément. On aurait dit qu'il ne reconnaissait pas en lui le vieux et fidèle collaborateur de la Société des garants de Lewis Nunn.

— Je n'ai aucune excuse, dit-il encore, en détournant le regard. Pas même celle de prétendre que j'entendais vous le révéler un jour... Si ces événements n'étaient pas survenus, je ne vous l'aurais jamais dit. Je ne comptais rien en tirer pour moi-même, vous vous en doutez. Je prévoyais plutôt qu'elles soient remises à une institution universitaire quelconque.

Il porta de nouveau les yeux sur son client.

— J'ai de bonnes raisons de penser, sir Paul, que cette confession, ces cahiers, ces lettres sont l'œuvre d'un faussaire, lequel aurait été au service du docteur Robert Levine.

Devant un sir Paul interdit, l'avocat l'informa de l'origine de sa suspicion, du fait que son oncle avait cessé de tenir son journal avant l'envoi de la première missive à l'imprimeur Seltz, de sa découverte des menaces proférées par le docteur Levine, des ruses qu'il aurait employées, tel l'envoi de cet exemplaire dont le dignitaire était en possession.

— Comme vous avez lu l'intégralité des cinq registres, remarqua-t-il, vous avez sûrement noté ses menaces à l'endroit de votre oncle, que ce médecin était son ennemi juré...

— Vous avez consulté les archives, William ? brisé les sceaux ? dit le dignitaire, avec un léger mouvement de recul.

— Hum, je m'étais jusque-là fait un point d'honneur de ne pas les briser, mais j'ai pris certaines libertés, en effet. J'ai ouvert certaines enveloppes. Celles contenant ses lettres et les registres de son journal. Vous m'avez demandé hier quelles sont nos options. Il ne s'en trouve qu'une, sir Paul : cette contre-expertise. Elle seule peut empêcher une inculpation de fraude contre votre oncle. Laquelle entraînera, comme de raison, la perte de tous vos revenus en droits d'auteur tirés de *Young Alice* et le paiement de dommages-intérêts se chiffrant en millions de livres sterling.

Il savait trop, disait-il, la valeur de l'opinion de Higgins relativement à l'authenticité de ces lettres ou de ce document et lui donna les déductions qu'il avait tirées à son sujet.

— Néanmoins, sir Paul, enchaîna-t-il, son opinion, celles du professeur Connelly et de cet expert engagé par le musée constituent des preuves indéniables. Sans une expertise en écriture, cette cause est perdue d'avance. Elle seule peut confirmer, comme j'ai dit, l'existence de cette supercherie que j'ai toutes les raisons de soupçonner. Sir Paul, j'ai découvert que trois lettres que votre oncle aurait écrites sont des faux.

Le dignitaire hocha la tête en signe d'incompréhension :

— Des faux ?

— Oui. Il s'agit de celles destinées à Florence Tennyson. Ces lettres n'étaient pas mentionnées au journal de votre oncle, ce qui a soulevé un fort doute chez moi quant à leur authenticité. Il appert qu'elles n'ont pas été rédigées aux dates qu'elles indiquent, mais selon toute vraisemblance après la mort de monsieur Feinstein.

— Comment pouvez-vous l'affirmer ?

— Un expert en écriture les a confrontées à d'autres lettres dont j'étais certain, celles-là, qu'elles étaient de la main de votre oncle.

— Vous voulez dire que cet expert sait au sujet des archives ?

Sir Paul avait toute la peine du monde à demeurer calme et... digne.

Son avocat fit non de la tête.

— Cet expert a fait son analyse en ignorant d'où émanaient les spécimens d'écriture, qui les avaient tracés ou quand. Il ne s'est pas penché sur les originaux, mais sur des photographies, lesquelles ne présentaient que des segments de mots communs, usuels, sans nom de personne ou de lieu, sans indication de date ou autre. Les deux groupes de pièces étaient identifiés par une lettre de l'alphabet. Je tenais à ce parfait anonymat pour une raison toute personnelle et très intéressée...

L'avocat fit une pause, tout en jaugeant son client du regard, puis continua :

— Sir Paul, cette contre-expertise, devenue incontournable, qui se ferait théoriquement, comme j'ai dit, à partir de spécimens d'écriture pris dans les archives de votre oncle, me causera un tort énorme sur le plan professionnel. En ne les faisant pas incinérer, tel que le certifie ma signature au bas de cet acte juridique, j'ai manqué à mon devoir. J'ai engagé ma responsabilité professionnelle et je risque la radiation du barreau ou, du moins, un blâme sévère, ce qui reviendra, pour quelqu'un de mon âge, au même. Je n'aurai guère d'autre choix que de prendre une retraite anticipée, mettant ainsi fin à ma carrière sur une note peu reluisante et en empruntant, comme on dit, la sortie de secours. Je vais vous faire une confidence, et peut-être aussi vous faire sourire, mais ce surnom de « cardinal » qu'on m'a collé sur le dos assez tôt dans ma carrière, j'en suis plutôt fier. Il évoque l'intégrité avec laquelle j'ai toujours essayé d'exercer cette profession.

Il fit encore une pause, puis ajouta, en fixant son client droit dans les yeux :

— Si cela est possible, sir Paul, je souhaiterais, avec votre consentement, la quitter sans que ce surnom n'ait pris un sens ironique. Voilà, cette démarche auprès de cet expert visait à confirmer que les lettres à Florence Tennyson étaient, tel que je le soupçonnais, des faux, mais elle avait aussi un autre but : utiliser pour cette contre-expertise les spécimens d'écriture du faussaire plutôt que ceux de Charles Feinstein, m'évitant ainsi l'opprobre des gens de ma profession.

L'avocat lui expliqua comment cela était possible.

— À la suite de notre réplique parue aujourd'hui dans les journaux, reprit-il, l'avocat du professeur Connelly modifiera sa défense, et la principale pièce à conviction sera la confession trouvée au musée. Cette pièce, il nous sera permis d'en faire une expertise...

Sir Paul, abasourdi par ses propos, continuait à rester coi.

— J'ai toutes les raisons de croire que l'auteur de ces fausses lettres est le faussaire auquel Robert Levine aurait fait appel. Et...

L'avocat s'interrompit car la sonnerie du téléphone sur son bureau venait de retentir. Bizarrement, durant une fraction de seconde, quelque part dans un recoin de son cerveau, il n'entendit pas un timbre électrique mais plutôt un glas. Lequel semblait sonner pour lui.

Il eut comme une hésitation à décrocher. Sa carrière, comprenait-il, se jouait à l'instant. Il avait enjoint sa secrétaire de retenir tous les appels, sauf si l'appelant était Richard Lockwell. Et Lockwell ne pouvait lui téléphoner que pour lui donner le résultat de sa recherche dans les fichiers de la police métropolitaine de Londres.

Il leva le combiné.

— Oui ?

— William, c'est Richard. Je n'ai rien trouvé. Soit ce faussaire n'est pas fiché, soit il l'a déjà été mais sa fiche a depuis été détruite.

William Muller fut incapable de parler pendant un moment.

— Je te retourne les épreuves photographiques par messager. Je suis désolé.

— Merci, fit l'avocat à la fin, d'une voix brisée.

Il raccrocha.

Pendant plusieurs secondes, son regard prit un aspect vitreux et il donna l'impression d'oublier la présence de son client. Puis, prenant sur lui, il annonça d'une voix à peine audible :

— Ce faussaire... ne peut être identifié. La contre-expertise se fera donc à partir des spécimens de votre oncle.

— Pourquoi ne pas utiliser des exemples de sa signature ?

Il y avait un léger mais tout de même perceptible reflet de ruse au coin de l'œil de sir Paul. Si William Muller n'avait été en ce moment dans un état d'esprit aussi troublé, il l'aurait remarqué.

Avec une moue dépitée, il hocha négativement la tête :

— Comme nous avons affaire ici à un très habile faussaire, sir Paul, ce genre de spécimens d'écriture ne sera pas suffisant.

La signature, c'était sur quoi un faussaire se spécialise, l'informa-t-il. Le juge d'instruction, à qui appartenait de façon exclusive la désignation des pièces de comparaison, refuserait du reste qu'on lui présente des exemples de textes aussi brefs, deux mots seulement et toujours les mêmes, sachant qu'ils ne permettraient jamais d'aboutir à une certitude du même ordre, par exemple, que l'identification de deux empreintes digitales.

— C'est pourquoi je vous ai demandé l'autre jour si, à tout hasard, vous n'aviez pas encore de substantiels écrits de votre oncle.

Sir Paul eut un clignement de paupières, puis demanda :

— Ses archives, William, où sont-elles ?

— Ici, dans un coffre.

— Ici, dans ce bureau ?

— Non. Ici, dans cet édifice. Le coffre se trouve dans mon classeur personnel dans une des salles d'entreposage du sous-sol.

Le dignitaire marqua un temps, puis dit :

— D'ici cette contre-expertise, William, je souhaiterais rentrer en leur possession. Je ne crois pas qu'il serait très approprié, dans les circonstances, de vous nommer de nouveau dépositaire.

William Muller eut un lent signe d'acquiescement et préféra chasser le pressentiment que son client avait pris la décision de le congédier.

— Ces photographies qui ont été tirées de ces lettres qu'a achetées mon père...

— On me les retourne dans l'heure, sir Paul. Elles seront jointes aux archives et je me charge d'aller moi-même vous porter le tout.

Sir Paul se leva.

— Je retourne au manoir. J'y serai le reste de la journée.

Trois heures plus tard, l'avocat se présentait au manoir, tenant, par sa poignée rabattable, le coffre des archives et, sous le bras, l'enveloppe d'expédition des photographies retournées par Richard Lockwell. C'est sir Paul lui-même qui vint l'accueillir à l'entrée. Ils passèrent à la bibliothèque et le dignitaire mit de côté la boîte métallique et l'enveloppe, ainsi que la clé du coffre que son visiteur venait de lui remettre.

— On vient de nous faire officieusement savoir, sir Paul, dit William Muller, que la partie défenderesse réclamera le droit à la preuve. Elle invoquera la découverte, en cours d'instance, de cette confession pour modifier sa défense. Sitôt que nous en serons avisés en bonne et due forme, nous entamerons la procédure d'inscription en faux.

— William, interpella doucement sir Paul, cette procédure... j'entends qu'elle soit introduite par un autre avocat.

— Oh, fit Muller, qui fut pris du coup d'un léger vacillement.

— Je ne sais pas encore qui je choisirai. Il serait donc préférable que vous me transfériez directement le dossier. Je me chargerai moi-même ensuite d'instruire le nouveau procureur.

L'avocat, encore sous le choc de sa révocation, fit oui de façon machinale et absente.

— Incluez dans cet envoi tous vos frais et honoraires à ce jour. Je les réglerai sans délai.

Pendant un instant, Muller resta debout, immobile et comme indécis à partir. Il paraissait vouloir dire quelque chose mais être incapable de le faire, submergé qu'il était par des sentiments contradictoires. Il se sentait coupable, mais aussi indigné par la sévérité de son client. Puis, sans un mot, il se mit lentement et un peu rigidement à marcher vers la sortie, accompagné à quelques pas de distance par sir Paul Harrisson, qui referma la lourde porte d'entrée sur lui en évitant son regard.

Une fois revenu dans la bibliothèque, le dignitaire se versa à boire, se coula dans un des larges fauteuils près de la cheminée et demeura un long moment, l'air pensif, à siroter sa boisson. Puis, il se leva, alla s'accroupir devant l'âtre et commença, en cette journée d'été, comme le mercure indiquait vingt-cinq degrés Celsius à l'ombre, à faire un feu. Au bout d'une dizaine de minutes, celui-ci présentait déjà de belles flammes.

Sir Paul alla ensuite ouvrir la boîte métallique, en sortit toutes les enveloppes, prit celle qui contenait les épreuves photographiques et vint déposer le tout sur le dessus de la lourde table basse à proximité de son fauteuil et face à la cheminée. Il décacheta l'enveloppe portant l'adresse du cabinet de William Muller, en sortit les photos, puis, s'approchant de l'âtre, il déposa le tout sur le feu.

Il revint s'asseoir, reprit son verre et regarda un moment les clichés se consumer. Puis, il s'empara de l'enveloppe étiquetée « Black Sheep », la retourna, en brisa le sceau et extirpa son contenu. Il feuilleta distraitement la centaine de feuilles que la main de son oncle avait noircies de son écriture étalée et penchée. Fait notable, le manuscrit présentait maints ratures, suppressions, biffures, ajouts et rajouts, lesquels témoignaient du laborieux et sinueux travail d'imagination qu'avait nécessité sa rédaction.

Il retourna près de l'âtre et alimenta de nouveau le feu avec ces morceaux de papier. Il répéta le même processus avec les manuscrits de *Childish Poetry* et de *In the Eye of the Hurricane*, lesquels présentaient, tout comme *Black Sheep,* un très grand nombre de corrections attestant d'une élaboration difficile.

Quand il eut entre les mains l'enveloppe portant l'étiquette *Young Alice,* son visage prit soudain une expression d'abattement. Il expira et soupira bruyamment; puis il brisa le cachet de cire à l'effigie de sa société et retira de l'enveloppe une nouvelle pile de feuilles. Elles étaient très différentes des précédentes : elles ne présentaient aucune biffure, aucune rature, aucun ajout ou rajout, et ce, pour la simple et bonne raison qu'elles étaient vierges.

Ces feuilles blanches, sir Paul les mit aussi au feu. Comme il mit au feu tous les registres du journal et leurs enveloppes.

Les archives de son oncle, qu'il croyait détruites depuis un peu plus de trois ans, l'étaient presque maintenant.

Il ne restait plus que les lettres.

32

Le lundi 8 juillet, William Muller apprenait, par un article du *Globe*, le nom du nouveau procureur de sir Paul, un certain maître Collins. Il ne le connaissait ni d'Ève ni d'Adam. Interrogé par le journaliste au sujet de la contre-expertise annoncée par son prédécesseur, maître Collins en précisait la nature. Un expert faisant autorité dans son domaine allait se pencher, disait-il, sur cette confession contestée et comparer son écriture à celle de deux lettres de Charles Feinstein récemment retrouvées. Ces spécimens de comparaison, soulignait-il, avaient d'ailleurs déjà été publiés par l'un des experts de la partie adverse, Mark Spencer Higgins, dans son ouvrage *Lettres et Pages de journal de Lewis Nunn*.

L'avocat du professeur Connelly, maître Grant, cité par le journal, disait trouver étrange la soudaine apparition de celles-ci, étant donné que toutes les archives de Charles Feinstein étaient supposées avoir été détruites. «Nous allons nous-mêmes exiger que ces deux lettres fassent l'objet d'une analyse», avertissait-il. Certaines méchantes langues laissaient entendre qu'elles pouvaient avoir été «récrites» à la suite de la découverte de la confession. Une analyse de l'encre, quoiqu'elle n'allait pas permettre de confirmer qu'elles avaient bel et bien été rédigées aux dates indiquées, allait permettre, expliquait-on, d'écarter la possibilité qu'elles l'aient été dans un proche passé.

Malgré qu'il l'eût congédié, sir Paul, toujours désireux de se montrer noble, avait été indulgent à son endroit, présuma sur le coup William Muller. En ne parlant que de deux lettres et non de l'ensemble des archives, son ex-client avait voulu lui épargner l'opprobre du comité disciplinaire du barreau. L'avocat perdit vite cette illusion toutefois quand il apprit, en fin d'article, que les deux lettres en question avaient pour destinataire Florence Tennyson.

Ce fut une première : William Muller se présenta au manoir du légataire de Feinstein sans y avoir été invité. Il s'y présenta très tôt en matinée, à une heure où il savait que sir Paul n'avait pas déjà quitté sa demeure de Richmond pour se rendre aux bureaux de sa société londonienne. L'avocat eut à attendre de longues minutes dans le hall d'entrée avant que le dignitaire, qui n'avait pourtant pas tardé à être averti de sa présence, daignât enfin se présenter devant lui, encore vêtu de la veste d'intérieur en soie de Chine qui lui tenait lieu de robe de chambre.

Comprenant que cette visite impromptue faisait suite à l'article paru dans le journal du matin, il ne chercha pas à prétendre s'en étonner, mais fit toutefois mine de ne pas remarquer l'expression de colère indignée que son visiteur affichait et dit :

— Venez.

Après avoir refermé la porte de la bibliothèque et exhorté son ex-conseiller juridique à s'asseoir, sir Paul dit, en prenant place derrière son bureau ministre :

— Je crois que je vous dois un mot d'explication, euh ?

— Plusieurs, sir Paul.

— Plusieurs, je vous le concède, William. Concédez aussi que je n'y suis pas tenu. Je consens à vous les donner, à la vérité, parce que vous êtes toujours lié envers moi, votre ancien client, par le secret professionnel.

— Je dois supposer que les archives que je vous ai remises la semaine dernière ont été depuis détruites ? Je veux dire, celles qui étaient vraiment de la main de votre oncle ?

— C'est juste. Quoique, officiellement, c'est vous qui avez procédé à leur destruction, il y a de cela trois ans, comme le confirme un acte en bonne et due forme portant votre signature.

L'avocat rougit un peu plus mais se garda de hausser le ton.

— Cette confession, elle est authentique ?

Sir Paul marqua un temps, puis répondit :

— Oui, elle est malheureusement authentique. Mon oncle n'est pas l'auteur de *Young Alice*, William.

— Depuis quand le savez-vous ?

— Depuis mardi dernier. Depuis l'annonce faite au musée. Jusque-là, je l'ignorais. Enfin, j'avais un soupçon, mais pas de certitude.

Il fit un moment silence, puis, après que son interlocuteur l'eut invité à s'expliquer en disant : « Je vous écoute », il commença ainsi :

— Vous le savez, j'ai jeté pour la première fois un œil aux archives lorsque, à la suite de la mort de mon père, les sollicitations des universitaires m'ont échu. J'ai fait alors différents constats, dont le plus étonnant fut celui-ci : le manuscrit de *Young Alice* était manquant. J'ai mené une petite enquête, question de m'assurer qu'il avait été retourné par l'éditeur Haythorne. C'était le cas. Alors, qui l'avait fait disparaître ? Mon oncle ou mon père ? Et surtout... pourquoi ? Chose certaine, il n'était plus question que je puisse permettre, comme je l'avais envisagé, de laisser les universitaires consulter les archives. Une telle absence ne pourrait qu'alimenter davantage chez eux la rumeur voulant que mon oncle n'en soit pas l'auteur. Pour les contenter, pour les faire taire, j'ai alors pensé à une formule mitoyenne. J'allais permettre la publication de ses lettres et d'extraits de son journal, enfin, d'extraits tirés de la partie de son journal que j'ai eu la patience de lire. Pour ce travail d'édition, il me fallait la collaboration d'un chercheur disons... plutôt docile ; un chercheur qui allait se contenter des archives que je voudrais bien lui permettre d'examiner, sans exiger, par exemple, de voir aussi les manuscrits ou sans s'étonner que je refuse de les lui montrer.

— Mark Higgins...

— Oui, Mark Higgins. Il m'a semblé parfait pour ce rôle. Il était jeune, inexpérimenté, encore un peu naïf et, faut-il s'en surprendre, guère à la hauteur. Le milieu universitaire allait lui reprocher cette naïveté, cette inexpérience. Tout compte fait, cette faveur que je lui faisais — c'était le mot qu'il employait à l'époque et qu'il allait répéter en introduction à son ouvrage — n'en était pas une. Il faut voir là, outre l'appât du gain, la raison pour laquelle il voulut prendre sa revanche contre moi trois ans plus tard. Mais, bon, une fois son travail d'édition complété, je vous ai fait parvenir les archives dans des enveloppes scellées.

— Dont une, pourtant, étiquetée *Young Alice*.

— Elle ne contenait que des feuilles de papier vierges, William. Je n'avais pas cherché de façon délibérée à vous tromper, mais je ne pouvais pas non plus vous mettre dans la confidence.

L'avocat eut un cillement, car il venait de prendre tout à coup conscience d'une chose.

— Alors... votre demande d'incinérer les archives pour mettre fin aux sollicitations des chercheurs, ce n'était que de la frime?

— Pas uniquement de la frime, mais un peu, tout de même. Cette demande visait aussi, comme de juste, à éviter qu'on apprenne un jour que le manuscrit de *Young Alice* était manquant. Désormais, son absence allait s'expliquer du fait qu'il avait été incinéré, tel que l'indiquait l'acte de destruction.

Il s'interrompit un instant, puis reprit ainsi:

— J'avais presque oublié tout cela lorsque je reçus, trois ans plus tard, le coup de téléphone de Mark Higgins. Il sollicitait une rencontre avec moi au sujet d'une affaire qu'il qualifiait de « très délicate ». J'ai accepté de le recevoir. Il n'a pas tardé à ouvrir son jeu et j'ai refusé, comme vous savez, de céder à son chantage. À mon sentiment, le document que mon oncle disait vouloir rendre public était l'aveu d'une relation coupable et ces cahiers d'écolier étaient le journal intime de sa jeune victime. Leur disparition corroborait tout à fait cette thèse. Quelque chose dans les propos de Higgins m'avait tout de même frappé; quelque chose qui pouvait être l'explication au fait que le manuscrit du conte était manquant. Charles Feinstein, prétendait-il, aurait pu recopier le manuscrit original. Ce que j'ai aussi constaté en compulsant les archives, William, c'était l'état déplorable des manuscrits des autres œuvres. Ils étaient tous, sans exception, pleins de ratures, de biffures, de rajouts, etc. S'il avait recopié *Young Alice*, alors son manuscrit ne devait contenir aucune de ces marques de correction ou si peu, lesquelles étaient caractéristiques du cheminement de sa pensée créatrice. Les réponses aux questions : « Qui avait fait disparaître le manuscrit ? » et : « Pourquoi ? » étaient alors peut-être les suivantes : mon père parce que son état était par trop différent de ceux qui suivirent, ce qui laissait croire à un recopiage. Mais, même à cela, Julius aurait pu se méprendre et les pages déchirées du journal pouvaient toujours l'avoir été parce qu'elles étaient scabreuses et non parce que Feinstein y avouait ne pas avoir écrit *Young Alice*.

— Et c'est cette conviction qui vous fit nous consulter pour connaître les actions juridiques à prendre contre Higgins à la suite de sa tentative d'extorsion de fonds à votre endroit ?

— Oui. Et puis, je fus conforté dans cette opinion par la conférence du professeur Connelly. De son propre aveu, il ne pouvait fournir d'explication à la disparition des documents dans le cas de la thèse qu'il mettait de l'avant. Par contre, il en fournissait une, plausible, dans le cas d'une agression sexuelle.

— Vous dites que vous le saviez depuis l'annonce faite au musée ? Alors, vous n'avez pas cru, un seul instant, qu'il pouvait s'agir de la supercherie que je vous ai exposée le lendemain à mon bureau ?

— En effet.

— Mais... comment pouviez-vous croire que cela ne pouvait être le cas ?

— Cette question que vous m'avez posée au téléphone, dans les heures suivant votre visite en mai dernier, à savoir s'il ne se trouverait pas encore, par hasard, des écrits un peu substantiels de mon oncle. Je vous ai répondu alors sans hésiter et... plutôt sèchement, je le reconnais, que cela ne se pouvait pas. Par la suite, j'ai regretté la forme de ma réponse. Cette question vous préoccupait — j'ai compris pourquoi hier — et je me suis dit que j'aurais pu être un peu plus diplomatique, que j'aurais pu au moins promettre que j'allais, dans tous les cas, vérifier. Il y a quelques jours, c'est exactement ce que j'ai fait. Je n'ai trouvé aucun écrit de mon oncle, mais j'ai découvert en revanche...

Il s'arrêta net.

— Quoi ?

— Disons que j'ai découvert... que cette confession ne pouvait être que vraie.

— Mais comment, sir Paul ?

Le dignitaire eut un fin sourire.

— Eh bien, cela restera un secret, euh ? On a tous des secrets, n'est-ce pas ?

William Muller serra davantage les lèvres. Il ne servait à rien d'insister. Sir Paul ne lui dirait pas ce que c'était.

— Par ailleurs, vous-même, William, reprit le dignitaire, cette supercherie mise à part, aviez-vous déjà imaginé qu'il pouvait s'agir d'autre chose ?

— Depuis le début, rétorqua l'avocat, je n'ai eu pour seul souci que de connaître la vérité. Plus exactement, de m'assurer de la faire ressortir.

L'avocat rougit de honte et d'embarras. Combien la réalité pouvait parfois être cruellement ironique. Par son action, ce qu'il avait permis de faire ressortir, et peut-être triompher, était le mensonge.

Sir Paul se leva.

— Voilà. C'étaient mes mots d'explication. Il n'y en aura plus d'autres entre nous.

— Tôt ou tard, dit William Muller, en se levant à son tour, on découvrira que ces lettres à Florence Tennyson sont des faux, que de vous en servir comme pièces de comparaison n'est qu'un stratagème pour étouffer cette fraude.

— Peut-être... Ou peut-être que les tribunaux ne réussiront jamais à trancher cette affaire, qui redeviendra alors, sans doute, un simple débat entre experts. Qui sait ?

33

Moins de deux jours plus tard, quelqu'un prétendit que les lettres à Florence Tennyson étaient des contrefaçons. C'est une certaine Gertrude Dickinson, dame très avancée en âge, qui l'affirma à Gerald Freeman, le journaliste affecté à la couverture de cette affaire par le *Globe*. Alertée par la lecture de son précédent article, dans lequel il était dit que les lettres serviraient de spécimens de comparaison dans une expertise en écriture, elle lui avait téléphoné sans tarder et Gerald Freeman avait été la rencontrer chez elle. C'était son mari, soutenait-elle, qui les avait fait fabriquer par un faussaire puis vendues à monsieur Julius Harrisson à l'automne 1927. Le témoignage de l'octogénaire, dont certains éléments ne pouvaient être corroborés, fut publié dans l'édition du vendredi 12 juillet.

Madame Dickinson disait avoir rencontré Charles Feinstein au moment où il avait séjourné à l'hôtel Audley à l'été 1894. À cette époque, elle n'était qu'une toute jeune fille de seize ans qui travaillait à l'établissement de villégiature comme domestique. Charles Feinstein l'avait prise en affection, paraît-il, et lui avait confié son ambition d'être écrivain. Un jour, en faisant sa chambre, elle aurait trouvé dans sa corbeille à papier les restants déchirés de l'œuvre à laquelle il lui avait dit qu'il se consacrait. Avec toute la naïveté de son âge, elle disait avoir cru en sa réussite et continuait encore à y croire, malgré le découragement auquel l'autre s'était manifestement laissé aller.

Ces morceaux de papier, elle les aurait emportés avec elle, puis s'était appliquée avec minutie et patience à les recoller, convaincue que Feinstein était mauvais juge de son propre talent. La lecture de l'œuvre reconstituée l'aurait laissée un peu perplexe. Le plaisir qu'elle avait espéré en tirer aurait été court, pour ne pas dire inexistant. Elle aurait ensuite rangé le manuscrit rapiécé au fond de sa grande malle et l'aurait complètement oublié.

Ce n'est que beaucoup plus tard qu'elle aurait appris que Lewis Nunn était le pseudonyme du client qu'elle avait connu sous le nom de Charles Feinstein. Elle ne l'aurait appris qu'en 1927, dans les jours suivant sa mort, quand celle-ci fut annoncée en première page des journaux. Et c'est aussi à ce moment qu'elle aurait réalisé que l'histoire de *Young Alice*, qu'elle n'avait jamais, affirmait-elle, lue jusque-là, ressemblait au conte dont elle avait pris connaissance plus de trente ans auparavant.

Son mari, un homme sans moyens de subsistance connus et aux relations plus que douteuses, aurait tout de suite flairé la bonne affaire. Ces vieilles feuilles de papier recollées étaient, avait-il présumé, une version préliminaire manuscrite du célèbre conte. Au cours des semaines suivantes, l'homme aurait été informé que sa valeur marchande se chiffrait à plusieurs centaines de livres et que le plus intéressé des acheteurs était vraisemblablement l'héritier de Charles Feinstein, lequel venait tout juste d'entreprendre des démarches pour récupérer tous les autographes de son demi-frère.

Cette information et la piètre condition du document qu'il avait à lui vendre auraient incité monsieur Dickinson à faire fabriquer en plus des faux pour tirer un meilleur profit de la transaction. Il aurait alors confié le manuscrit à un faussaire pour qu'il contrefasse l'écriture de Feinstein et produise trois lettres destinées à cette Florence Tennyson, diminutif pour Tennysoner, une de ses anciennes petites amies. Le texte des lettres était vaguement tissé, d'après l'octogénaire, sur ce qu'elle avait raconté à son mari. Ainsi, la « dette éternelle » correspondait à l'expression qu'elle aurait souhaité entendre de Feinstein, une fois que ce dernier aurait réalisé qu'elle avait sauvegardé et reconstitué son manuscrit. Par ailleurs, leur étrange contenu romantique s'expliquait par le fait que monsieur Dickinson aurait ignoré le penchant particulier et exclusif de Feinstein pour les toutes jeunes filles.

Monsieur Dickinson aurait donc vendu à Julius Harrisson quatre documents : un manuscrit rapiécé et trois lettres.

Ce témoignage de Gertrude Dickinson, continuait le journal, était mis en doute par le nouveau procureur de sir Paul. D'abord, comme son mari ne lui aurait parlé de ces contrefaçons que plusieurs années après le fait, il s'agissait d'un simple ouï-dire ; ensuite, le principal témoin, monsieur Dickinson, était mort ; enfin, la dame ne connaissait pas l'identité du faussaire.

Cet article ne fit qu'ajouter à l'indignation de William Muller, comme de raison. Toute cette affaire lui était d'autant plus pénible qu'il se sentait impuissant. Même s'il faisait le geste extrême de trahir le secret professionnel pour témoigner contre son ancien client, qu'est-ce que cela donnerait ? Rien. Sans preuve matérielle, un tel geste serait perçu comme une vengeance pour avoir été congédié. L'avocat ne pouvait rien faire, ni du reste Richard Lockwell. De quoi ce dernier pourrait-il témoigner ? Que l'écriture des lettres destinées à Florence Tennyson et celle de la confession signée Charles Feinstein ressemblent aux spécimens d'écritures anonymes qu'il a pu examiner des semaines, voire des mois plus tôt, mais qu'il est incapable d'en dire quoi que ce soit d'autre ?

Peut-être, comme le suggérait Helena Muller, peut-être était-il préférable d'oublier toute cette histoire. « Donnez-moi, Seigneur, la grâce d'accepter ce que je ne peux changer », avait-elle soufflé doucement à l'oreille de son mari.

À l'évidence, William Muller n'était pas prêt encore à ajuster sa conduite sur un aussi sage conseil. Il chercha des heures durant à deviner ce que sir Paul avait bien pu découvrir, mais s'était refusé à lui révéler. Quelle preuve, quel document, avait fait réaliser au dignitaire que la confession de Feinstein n'était pas fausse, comme il avait lui-même présumé qu'elle le fût pendant de si nombreuses semaines ? Pour sa femme, c'était là un exemple éloquent de la futilité de ses incessants questionnements. Pourquoi se torturer l'esprit à ce sujet ? lui reprochait-elle. Parce que, toute preuve corroborant l'authenticité de cette confession, sir Paul, comme il l'avait fait avec les archives, l'avait certainement aussi détruite.

Le ressentiment de William Muller était plus amer encore à l'égard de l'homme qu'il avait servi de si nombreuses années auparavant : Julius Harrisson. Après Charles Feinstein, il était le premier coupable. Celui qui avait détruit toutes les preuves pour camoufler la fraude du demi-frère dont il venait d'hériter une fortune, laquelle n'allait cesser de s'accroître : la copie que Feinstein avait faite du véritable manuscrit de *Young Alice* ; la version trop différente que lui avait vendue monsieur Dickinson ; les pages du journal, plusieurs d'entre elles arrachées pour une raison autre que le scrupule.

Julius Harrisson ne s'était jamais rendu compte, continuait à ruminer William Muller, réfugié aujourd'hui, à l'exhortation de sa femme, à la campagne, que son demi-frère avait formellement reconnu sa fraude. Ce dernier avait dû enjoindre son vieux serviteur, pour des raisons évidentes, de ne parler à quiconque — et surtout pas à son héritier — de l'envoi de cet exemplaire trafiqué à Alice Levine. Le seul indice dont monsieur Harrisson père aurait pu disposer était ces empreintes d'écriture inversées au dos du papier couleur de l'exemplaire numéro I. « J'avais prévu le rendre public... » Il aurait alors tout compris. Mais les traces d'encre avaient été soustraites à son regard.

Une fois les documents retirés du premier exemplaire, Charles Feinstein avait dû en recoller le papier couleur pour cacher les empreintes, preuve de son aveu. Peut-être ne les avait-il même pas remarquées et le hasard avait-il fait le reste. Il avait constaté que la couverture apparaissait altérée et avait retiré les documents avant que la colle ne sèche. Il avait refermé le livre et l'avait mis de côté ; c'est seulement alors que la colle avait séché. Quelque peu improprement, il va de soi, mais sans que Julius Harrisson ou quiconque après lui eût l'idée de déchirer la couverture. Enfin personne, sauf ce directeur de collège, Peter Thornhill, trente-cinq ans plus tard.

En se départissant de cet exemplaire endommagé, le numéro I, en même temps que des autres numéros, sauf celui qu'il avait jugé bon de garder, Julius Harrisson avait, sans le savoir, donné le coup d'envoi à une longue et étrange quête...

William Muller interrompit ses ruminations. Il s'extirpa d'un bond du vieux sofa de son cottage où il était enfoncé depuis une heure et, fébrile, se mit à déambuler. Cette disposition des exemplaires n'était pas un acte isolé, comprit-il tout à coup. Elle faisait partie d'une action plus grande, qui englobait beaucoup d'autres objets ayant appartenu au défunt Charles Feinstein. Et cette disposition de ses biens avait pour origine... un document.

Un seul et unique document.

L'avocat rejeta d'abord l'idée qu'il puisse s'agir de celui que sir Paul avait découvert et s'était refusé à identifier. « Eh bien, cela restera un secret, euh ? On a tous des secrets, n'est-ce pas ? » lui avait dit le dignitaire. William Muller se refusait d'abord à le croire parce que cela paraissait trop extraordinairement heureux, puis, petit à petit, il commença à en admettre la possibilité. Après tout, ce type de document pouvait avoir été à ce point précis. Trop heureux, parce que la firme qui avait produit ce document gardait toujours un duplicata et que sir Paul pouvait l'ignorer. Si tel était le cas, maître Grant, l'avocat du professeur Connelly, bénéficierait bientôt, par un ordre de saisie, d'une preuve matérielle irrécusable.

Cette nuit-là, William Muller ne réussit pas à trouver le sommeil et c'est avec les yeux cernés qu'il retourna à Londres le lendemain. Il passa d'abord par son cabinet pour y prendre le document par lequel son ex-client l'avait fait dépositaire officiel des archives de Charles Lutwidge Feinstein. Puis, il se rendit sans plus tarder aux bureaux de la maison McBean et Associés, vénérable entreprise spécialisée dans les menus détails relatifs aux successions.

C'est monsieur Wagnals, homme de loi spécialisé dans ce genre d'actes officiels et l'un des cadres de la firme, qui l'accueillit. Une fois informé de la requête de son visiteur, il observa, compréhensif :

— Après toutes ces années, monsieur, il arrive très souvent que de tels documents soient perdus. Particulièrement dans un cas comme celui de votre client, c'est-à-dire d'un détenteur de seconde génération.

— Mon client l'a cherché, mais en vain, prétendit William Muller. Puis je me suis souvenu que vous deviez en conserver un double.

— Pour chacun des inventaires qui ont été dressés, confirma avec fierté l'autre. Et ce depuis le tout début, soit depuis 1912. Ces copies sont gardées dans une chambre dont la température et le taux d'humidité sont constants. Si vous me permettez de manquer un instant de modestie, maître Muller, je dirais que nous avons été en quelque sorte des pionniers dans le domaine de la conservation.

Là-dessus, il invita celui qui prétendait être encore le représentant du légataire de Charles Feinstein à s'asseoir, en lui indiquant l'une des nombreuses chaises autour de la longue table qui trônait dans cette confortable salle de consultation. Une jeune femme apparut dans l'embrasure de la porte laissée à demi ouverte. Elle avait à la main un dossier et le tendit à son patron sans un mot.

— Merci, Lynn. Ah, voilà, s'exclama monsieur Wagnals, en jetant un œil à l'étiquette d'identification sur la couverture du dossier et, pour le bénéfice de son client, il se mit à la lire à haute voix : « Charles Lutwidge Feinstein. Inventaire des biens meubles, fait sur les lieux le 5 juillet 1927. Peter Coolridge. »

Il leva le regard.

— Il s'agit de l'employé qui dressa l'inventaire, monsieur. Il était un professionnel accompli : très précis, méthodique, écriture impeccable, vérifiant deux fois plutôt qu'une. Vous serez à même de juger.

Il déposa le dossier devant l'avocat.

— Je vous le confie, monsieur. Prenez tout votre temps.

Une fois que le directeur eut refermé la porte derrière lui, William Muller ouvrit le dossier, feuilleta d'abord le document et fut frappé par la clarté, l'ordonnance, la belle écriture et le détail de cet inventaire. Ce Peter Coolridge était un calligraphe-né comme l'avait souligné monsieur Wagnals. Malgré qu'il se soit agi d'une copie carbone, il ne s'y trouvait aucune trace de bavures.

Ce document listait le moindre objet qui se trouvait dans la maison de campagne du défunt Charles Lutwidge Feinstein au moment de la visite de monsieur Coolridge au début du mois de juillet 1927. L'inventaire, qui respectait, si on peut dire, la structure de la maison, commençait par le sous-sol et se terminait avec l'étage supérieur. À chaque niveau, allant d'est en ouest, il identifiait chaque pièce et énumérait les objets de valeur qui s'y trouvaient. Et quand cela était possible, monsieur Coolridge donnait même une estimation de ceux-ci.

L'ex-avocat de sir Paul Harrisson alla à la section traitant du « premier étage » et à la page identifiant la pièce « bibliothèque ». Peter Coolridge commençait toujours son inventaire avec les meubles et avec celui qu'il jugeait le plus important. Et dans cette pièce, il s'agissait du meuble qui lui donnait son nom, à savoir la formidable bibliothèque en bois d'acajou que Julius Harrisson allait par la suite faire transporter, avec de nombreux autres meubles, dans le manoir dont il ne tarda pas à faire l'acquisition grâce à l'héritage que lui légua son demi-frère.

Ce très méticuleux monsieur Coolridge avait pris la peine non seulement de compter les livres rangés sur les étagères — « 1 834 » très exactement —, mais aussi, quand il jugeait que certains d'entre eux avaient une valeur marchande, de les identifier. C'était le cas pour les livres appartenant à des séries, tels par exemple les volumes d'encyclopédie, les œuvres complètes de Shakespeare ou de Johnson, ou encore le *Oxford Dictionary of the English Language* en douze volumes.

L'avocat trouva ce qu'il cherchait, qui était une information ainsi formulée par Peter Coolridge :

> « 9 livres numérotés d'une très récente édition de *Young Alice*, limitée à 10 exemplaires. Pure peau, grand format. La page de garde du numéro I adhère mal au comblage de carton de la couverture. Celle du numéro X a été retranchée. Enfin, le numéro III est manquant. »